D1431552

AMOS DARAGON

LE SANCTUAIRE DES BRAVES III

Nous reconnaissons l'aide financière du gouvernement du Québec par l'entremise de la Société de développement des entreprises culturelles (SODEC) pour nos activités d'édition. Gouvernement du Québec — Programme de crédit d'impôt pour l'édition de livres — Gestion SODEC.

PERRO ÉDITEUR
395, avenue de la Station, C.P. 8
Shawinigan (Québec) G9N 6T8
www.perroediteur.com

Illustration de la couverture : Étienne Milette
Carte du monde d'Amos Daragon : Pierre Ouellette
Logo du titre : François Vaillancourt
Infographie : Lydie De Backer
Révision : Stéphanie Veillette

2e édition

Dépôts légaux : 2012
Bibliothèque et Archives nationales du Québec
Bibliothèque nationale du Canada
ISBN : 978-2-923995-08-3

BRYAN PERRO

AMOS DARAGON
LE SANCTUAIRE DES BRAVES II

PERRO
éditeur

Le Monde
d'Amos Daragon
Le Sanctuaire des Braves

Hyperbore

Forêt
Bleue

Forêt
Rouge

pays
d'Atrum

Forêt
Jaune

Terres
Barbares

Vikings
de l'Est

Les
Salines

Mer du
Nord

Sanctuaire des
Braves

Cité de
Pégase

La Forêt des Pins Gris

Vikings
de l'Ouest

Territoires
Vikings

berrion

Bois de
tarkasis

Territoire de
Wassali

La Terre Verte

L'Homme Gris

Quinze royaumes des
Chevaliers

Les Sommets Venteux

Mer des
Deltas

Océan
Sans Fin
Nord

Amos Daragon

Amos est un jeune adolescent au regard franc, au cœur pur et à l'intelligence particulièrement aiguisée. Muni d'une détermination de fer, sa principale force est sa lucidité. Issu d'une famille modeste d'artisans, il conserve en lui la simplicité qui caractérise les grands héros.

Amos est difficile à berner, car il ne se fie pas qu'aux apparences. D'une prodigieuse intelligence, il adore relever les défis qui semblent infranchissables et n'hésite jamais à plonger dans l'action pour affronter ses ennemis. Plus rusé qu'un dieu, il n'est pas facile de le prendre au piège puisqu'il possède toujours une longueur d'avance sur ses ennemis. Même les immortels, pourtant surpuissants, n'arrivent jamais à le coincer. Son humour, sa finesse d'esprit et sa confiance en lui en font un personnage qui, malgré tous les dangers, sait toujours désamorcer les pièges tendus aux humains.

Au cours de ses douze aventures, Amos a su acquérir tous les masques de pouvoir, mais sa maîtrise reste à parfaire. Ainsi, une colère incontrôlée peut avoir des conséquences néfastes sur ses proches ou sur son environnement. L'injustice fait rager Amos de même que l'insolence des dieux à l'égard des créatures terrestres. Mais heureusement, Sartigan est là pour mettre de l'ordre dans ses émotions et lui enseigner les voies de la sagesse, de la modération et du contrôle.

Béorf Bromanson

Le meilleur ami d'Amos Daragon est un homme-ours de la race des béorites. À peine plus âgé que le porteur de masques, ce gros garçon sympathique et drôle possède la bonhomie caractéristique des grands optimistes. Chef de son village, il est le dernier membre de la famille Bromanson et dispose, comme ses aïeuls, du pouvoir de se métamorphoser en ours à sa guise. Malgré son impressionnante stature, ses muscles développés et ses grosses fesses bombées, il est très agile et devient un redoutable combattant si sa vie est menacée. Comme un ours, Béorf est un bon mangeur et est plus souvent guidé par son estomac que par sa tête, ce qui le place régulièrement dans des situations rocambolesques. Toujours prêt à rire même dans les situations les plus critiques, il a le cœur aussi gros que la panse et sacrifiera volontiers sa vie pour sauver ses compagnons d'aventure. Béorf est d'une culture où l'amitié est une valeur essentielle et l'honneur, une façon de vivre. Malgré son tempérament prompt et ses manières un peu brusques, Béorf est un ami dévoué, loyal et attentif.

Lolya

Cette jeune fille de race noire est l'ancienne reine d'une peuplade tribale vivant dans les lointaines contrées du sud du continent. Abandonnant sa couronne à sa jeune sœur pour suivre Amos dans sa quête, c'est une fille généreuse et dévouée. Lolya exerce ses talents d'ensorceleuse à travers les sphères de la nécromancie et de la divination. Elle possède le pouvoir d'interroger les morts, d'invoquer les esprits et de voir l'avenir.

Lolya est coquette et, la plupart du temps, porte des bijoux, résultat de son passé de jeune reine. Elle habite dans la vieille forteresse des béorites, à Upsgran, où sa serre florale est installée. C'est là qu'au milieu de ses potions, de ses huiles, de ses bougies et de ses talismans, de ses grimoires et de ses pollens, elle étudie la dague de Baal. Cette lame extraordinaire, forgée dans les Enfers et rapportée chez les mortels par Amos, possède une âme qui lui est propre. Depuis le tome dix de la série, Lolya vit en symbiose avec elle. L'arme, aussi appelée Aylol, est devenue un élément essentiel à sa survie et elles ne peuvent être séparées sous peine d'en mourir toutes les deux. Capricieuse et un peu fourbe, la dague est très jalouse de l'amour que Lolya porte à Amos. Comme la jeune nécromancienne est la seule à entendre les palabres de son arme, cette dernière en profite souvent pour lancer des commentaires cinglants et déplacés. Heureusement pour la jeune Noire, la dague de Baal n'est pas seulement un poids à supporter, elle lui permet aussi d'amplifier la force de sa magie et de prolonger la durée de ses sorts.

Médousa

De la race des gorgones, Médousa est la plus intrigante des compagnons d'Amos Daragon. Avec ses cheveux de serpents et son pouvoir de pétrification, elle a la peau verte, les pieds palmés et possède des ailes qui lui permettent de planer. En raison de son allure non conforme, Médousa effraie et doit toujours faire attention de ne pas provoquer la panique autour d'elle. C'est pourquoi elle se tient souvent à l'écart et cache son visage et ses cheveux sous le large capuchon de sa cape. Aussi, Flag l'inventeur lui a fabriqué une paire de lunettes appelées «lurinettes» qui protège les autres de son regard pétrifiant. Peu sûre d'elle, la gorgone est très sensible aux jugements d'autrui et se décourage souvent devant les obstacles à franchir.

Médousa est une gorgone de mer, ce qui lui confère un talent naturel pour la mobilité aquatique. Au contact du sel de l'océan, sa peau verte se transforme en un joli bleu qui lui donne une allure moins menaçante. La nage est son activité préférée et chaque jour, elle la pratique de longues heures. Même dans l'eau glacée, Médousa ne frissonne jamais, car elle est une créature à sang froid. Son corps s'adapte à la température ambiante, sauf dans les cas de froid extrême où elle risque simplement de congeler jusqu'à l'arrivée du printemps.

Chapitre 1
Peck à l'Eau Claire

Lorsque Peck à l'Eau Claire s'éveilla, il poussa un terrible cri d'horreur.

Essoufflé et dégoulinant de sueur, il bondit de son lit de pierre, sortit à la course de sa petite maison de galets au toit de chaume et se plongea la figure dans la petite rivière qui coulait à côté du jardin. D'ordinaire, les korrigans de son espèce ne faisaient jamais de rêves ; ils fermaient les yeux pour dormir et les ouvraient après quelques heures, complètement reposés. Mais pour Peck à l'Eau Claire, c'était différent. D'ailleurs, tout avait toujours été différent pour lui !

— Encore ce terrible cauchemar... encore et toujours, fit-il en essayant de recouvrer ses esprits. Toujours cette fille et ce garçon... et ces monstres, mais quelle horreur ! Ah, c'est terrible ! Hou là là !

Lorsqu'on a un père korrigan et une mère de la race des fées, il arrive que la vie soit plus compliquée. Plus grand et moins costaud que la plupart de ses compagnons korrigans, Peck était cependant plus intelligent, inspiré et artistique que les représentants de sa race. Plus fort et têtu que n'importe quelle fée, il avait une peau de pierre et travaillait le bois d'une façon unique. Entre ses mains, les fibres des feuillus s'ensorcelaient et répondaient à ses moindres désirs. Peck était un grand, un très grand sculpteur, mais également un grand angoissé.

— Mais pourquoi ce rêve, ce même rêve, encore et toujours ? Et qui sont ces humains ? murmura-t-il d'un ton désespéré. Je ne comprends rien, mais rien de rien. Je vois ces amoureux qui s'embrassent sous la lune et puis deux monstres, comme deux démons. Deux monstres qui arrivent et qui assassinent la fille et s'emparent du garçon. Décidément, je ne vois pas ce que j'ai, moi, à faire dans cette histoire ! Et elle meurt, cette fille, la queue de ce monstre avec une tête de requin qui la transperce, hou là, hou là là !

Peck à l'Eau Claire vivait seul depuis de nombreuses années. Chassé du village korrigan de Trou-en-Terre parce que trop différent des autres, il avait voulu rejoindre les forêts des fées de l'Ouest. Mais là aussi, il s'était vu refuser l'asile. Les korrigans étaient des créatures terriennes et les fées, des êtres aériens. Et comme Peck à l'Eau Claire n'était ni l'un ni l'autre, il ne pouvait être accepté dans aucune de ces sociétés. Fruit d'un amour interdit entre deux espèces opposées, le pauvre Peck était l'unique représentant de sa race. Et au contraire des korrigans, mais tout comme une fée, il rêvait la nuit. Il rêvait même beaucoup !

— Comment faire pour me sortir ces cauchemars de la tête ? Pfft, ça devient absurde. Je ne dors plus. Je ne vois que cette scène. Toujours ce meurtre, simplement cette fille qui se fait ouvrir le ventre et ce garçon qui se fait assommer par des monstres. Mais qui sont-ils justement, ces horreurs qui bondissent de la forêt comme cela, sans prévenir ? Et que lui veulent-ils à ce garçon qui m'a l'air, en fait, sympathique ? Hou là là ! Et pourquoi moi, ce rêve ? Pourquoi moi, pauvre Peck à l'Eau Claire, fils d'une fée infidèle à sa race et d'un père coquin et aventureux ? Hou là là !

Pour se calmer et tenter de trouver le sommeil, Peck s'empara d'un morceau de bois et, grâce à son couteau toujours bien aiguisé, commença à le sculpter. Laissant aller son imagination, il tailla dans le bois le buste d'un nagas, un homme-serpent. Lorsqu'il l'eut terminé, il le plaça dans son jardin, à côté d'une bonne trentaine de statues toutes différentes les unes des autres. Sans les connaître, Peck avait sculpté le visage d'Amos Daragon, de Béorf, de Lolya et de Médousa. Parmi les chefs-d'œuvre, se trouvaient les bustes de Junos, Frilla Daragon, Gwenfadrille, Béhémoth et Léviathan ainsi que ceux de tous les protagonistes qui avaient joué un rôle depuis le début de la construction du Sanctuaire des Braves.

— Mais qu'est-ce que j'ai encore fait ? se questionna Peck en déposant sa sculpture parmi le lot. Je ne comprends pas pourquoi je viens de sculpter ceci, mais ça alors, je ne vois pas, pas du tout. Un nagas ! Pourtant, je déteste les serpents ! Je crois que mes mains travaillent sans moi. C'est ça, j'ai définitivement perdu le contrôle de mes mains... aussi de mes rêves, hou là là. Je n'ai plus toute ma tête et plus mes dix doigts, ça va mal... ça va trop mal, hou là là !

Le soleil s'étant levé, Peck à l'Eau Claire entra chez lui et se fit bouillir un peu de thé. Fatigué de sa mauvaise nuit, il grignota quelques fruits séchés et avala deux gros biscuits aux amandes qu'il trempa préalablement dans du lait de chèvre afin de se donner des forces. Le toit de sa cabane avait des fuites et c'était aujourd'hui qu'il avait décidé de commencer les réparations. Quoique très habile charpentier, Peck savait qu'il ne s'en tirerait pas à moins d'une longue journée de travail.

Comme il allait passer à table et boire sa première gorgée de thé, Peck entendit du bruit à l'extérieur de sa demeure. Inquiet, il se leva lentement de sa chaise et passa la tête par la porte. Rien à signaler. Rassuré, il voulut regagner son siège, mais à sa grande surprise, un vieux faune barbu tout ébouriffé était attablé à sa place et buvait son thé.

— Ah ! Ouste ! Maléfique, va ! s'exclama Peck apeuré. Je suis un puissant magicien et je te transformerai en crapaud si tu ne t'en vas pas immédiatement.

— En crapaud ? s'étonna le faune. Intéressant. Je ne crois pas qu'un faune de ma taille puisse tenir dans le corps d'un si petit animal, mais ce monde est rempli de choses bien curieuses, mon ami !

— Que me veux-tu ? Et que fais-tu chez moi ? Pourquoi bois-tu mon thé ? Et laisse ces fruits, je ne veux pas que tu y touches. Mais vas-tu me répondre avant que je fasse tomber sur toi la malédiction des... des... des vaches perdues ? Attention, je commence mes incantations et tu verras la puissance de ma magie. Tu sentiras la force de mon...

— Peck à l'Eau Claire, c'est ça ? demanda calmement le faune en dégustant le thé. Hummm, elle est excellente, cette boisson ! C'est bien ton nom ? Tu es donc le célèbre magicien Peck à l'Eau Claire, la créature la plus redoutée du continent, c'est bien cela ?

— Euh... non ! mentit Peck par mesure de protection. Moi, je suis... je suis Pack à l'Eau Sale et je suis... je ne suis que son assistant, car Peck à l'Eau Claire est de loin un plus grand magicien que moi et il devrait arriver bientôt afin de... de boire ce thé que je lui ai expressément préparé. Lorsqu'il vous trouvera la bouche collée à sa tasse, ouf, sa colère fera trembler la terre. Si j'étais vous, je quitterais immédiatement cette table, car, hou là là, son courroux sera terrible !

— Oh ! s'étonna l'intrus. Me voilà bien déçu ! Ne t'inquiète pas. Dans ce cas, je vais l'attendre... Dis-moi, Pack à l'Eau Sale, tu as d'autres de ces excellents biscuits ? Tu es certainement un grand magicien, mais aussi un très bon cuisinier ! Moi qui adore les amandes, me voilà servi !

Peck poussa un soupir de désespoir. Il n'y avait donc rien à faire pour se débarrasser de cet importun.

— Ah oui... J'y pense... mais vous ne pouvez pas rester là ! fit Peck qui venait de penser à une autre astuce.

— Et pourquoi donc ?

— Parce que le toit... le toit va bientôt tomber, c'est ça. Je fais des réparations et le toit risque de tomber et de vous tuer, alors vous devez partir. Tout ce bâtiment va bientôt s'effondrer. C'est une question de vie ou de mort, alors... alors, levez-vous et quittez ma demeure, parce que... c'est dangereux, là, hou là là ! Quel danger !

Le faune but le reste de son thé d'une seule lampée, mais au lieu de se lever et de partir, il s'en versa une seconde tasse.

— Vous dormez mal, Peck, n'est-ce pas ? De vilains cauchemars, non ?

Peck cessa de respirer. Comment cet étranger pouvait-il connaître ce détail ?

— Non, non..., mentit Peck. Je dors comme un bébé et... le toit qui va tomber... il faudrait que vous m'écoutiez, car je ne sais plus quoi inventer pour vous faire quitter ma maison. C'est très difficile pour moi de vous voir ainsi, dans ma demeure... Cela m'angoisse énormément... Pouvez-vous aller prendre votre petit déjeuner ailleurs, s'il vous plaît ?

— Vous avez les oreilles pointues de votre mère et le nez épaté de votre père, Peck à l'Eau Claire, continua-t-il. Je vous ai tout de suite reconnu et je sais que c'est vous ! Je sais également que, tout comme les fées, vous avez un fantastique pouvoir de visualisation. Cependant, vous n'êtes pas magicien, pas le moins du monde !

— Vous connaissiez mes parents ? demanda Peck un peu plus rassuré. En effet, je ne suis pas magicien, mais attention, je suis un expert dans le maniement du couteau !

— C'est bien vrai !, approuva le faune. Vos sculptures en témoignent... Si je connaissais vos parents ? Oui, ils étaient des amis avant que... avant que le malheur ne se produise. C'est même moi qui les ai présentés l'un à l'autre ! Si vous aviez une autre tasse disponible, vous pourriez vous asseoir avec moi et discuter un peu, non ?

— Oui, j'ai d'autres tasses... mais aujourd'hui, je dois refaire mon toit et je n'ai pas vraiment le temps de... bon, oui, hou là là, j'ai bien quelques minutes, mais pas davantage, d'accord ? Seulement une tasse de thé, c'est bien ? Ça vous va ? Bon, voilà...

Sans conviction, Peck empoigna un vieux gobelet de bois, y versa du thé et s'installa à table en face de son visiteur.

— Alors, mon cher Peck à l'Eau Claire, comment te portes-tu ? demanda le faune. La dernière fois que je t'ai vu, tu étais si petit ! Je vois que la vie t'a gâté et que tu es devenu un très grand korrigan !

— Je vais... je vais bien, il y a ces cauchemars, mais autrement... ma santé, ça va. Bon, je me sens parfois un peu seul, mais je me dis qu'ici, au moins, je ne me fais pas ridiculiser par une bande de korrigans. Et puis... oui, je suis plus grand que la moyenne, mais ma mère était une fée, mais ça vous le savez puisque c'est vous qui...

— Bois ton thé, l'interrompit le visiteur. Et souffle un peu entre tes phrases, cela t'aidera à préciser ta pensée, à mieux rassembler tes idées.

— Comme les fées ne veulent pas de moi, continua Peck en prenant une bonne lampée, je me retrouve ici. Et puis, bien, en fait, j'aurais aimé vivre avec les fées. Quoiqu'elles aient presque disparu maintenant, il en reste quelques tribus. Bien évidemment je ne parle pas d'elfes noirs qui sont...

— Ton thé... avale !, insista le faune.

— Oui, bien sûr !, répondit Peck en s'exécutant. Je disais que chacun connaît les elfes noirs et qu'ils ne sont pas commodes ! Personnellement, je ne les ai jamais rencontrés, mais il faut bien dire que si j'avais à le faire... enfin, j'espère ne jamais croiser leur route, mais si, à tout hasard...

— Termine-le ! Allez vite ! J'ai autre chose à faire que d'écouter tes palabres.

— Mais je ne comprends pas, vous m'invitez à prendre le thé pour converser un peu et voilà que...

— BOIS !

Peck sursauta et termina sa boisson d'un coup.

— Voilà ! fit-il. C'est maintenant le moment où vous partez, n'est-ce pas ? Alors, merci pour tout, je vous reconduis à la porte et...

Le faune poussa un long soupir.

— Tu es aussi bavard que ton père ! grogna-t-il ensuite. Ferme-la, Peck, et regarde le fond de ta tasse. Dans les résidus des feuilles de thé, dis-moi ce que tu vois.

Perplexe, Peck posa les yeux dans le fond de sa tasse. Il y avait bien des résidus, bruns et mouillés.

— Je vois..., répondit Peck. Je vois des feuilles de thé bien humides !

— Regarde au-delà des feuilles, espèce de bourricot ! s'impatienta le faune. De l'autre côté des feuilles !

Le pauvre Peck se trouvait bien troublé, car il n'avait aucune idée de ce que pouvait bien raconter la créature de l'autre côté de la table. Peut-être était-ce un fou ou un dangereux magicien qui s'amusait à ridiculiser les êtres faibles et sans défense ? Il y avait sûrement un moyen de le faire quitter sa maison, mais lequel ? Peck regardait à gauche, à droite, dans l'espoir de trouver une solution. Il aurait tout donné pour retrouver la paix de sa cabane, de son petit monde près de la rivière où, avant l'intrusion du faune, il vivait seul et en paix.

— Tu ne te concentres pas, Peck ! s'exclama l'intrus. Tu veux me voir partir, eh bien soit, mais avant je désire que tu regardes ces satanées feuilles de thé et que tu te concentres un peu. Fais ce que je te demande et, si tu le désires encore, je quitterai alors ta maison pour ne plus jamais y revenir, c'est d'accord ?

Peck poussa un long soupir en empoignant son gobelet de bois.

— Je vois…, fit-il en désespoir de cause, je vois… des feuilles de thé… que des feuilles brunes de thé… et derrière les feuilles, il y a le fond de mon gobelet de bois, des feuilles de thé mouillées, mon gobelet de bois et la figure désespérée d'un jeune homme qui désire mourir, mais qui ne peut pas ! Certainement à cause de cet enchantement qui le fait constamment revenir à la vie.

Le faune sourit, car Peck ne s'était pas rendu compte qu'il venait d'ajouter des éléments qui ne pouvaient pas se trouver dans le fond de son gobelet.

— Pauvre garçon, continua Peck, il est complètement perturbé par les malheurs de sa vie. En fait, je crois bien qu'il a perdu complètement confiance en lui. C'est étrange, car je l'ai déjà vu en rêve celui-là ! J'ai même sculpté son visage à plusieurs reprises... Ce jeune homme en a gros sur les épaules, car tous les dieux sont contre lui et il risque un châtiment terrible. Je ne sais comment son histoire va se finir, mais s'il continue sur cette mauvaise pente, sa vie sera bientôt terminée. Enfin, il vivra, mais ne fera plus rien. Dommage, car il était en train de bâtir un lieu très spécial, très haut dans les montagnes, un genre de... de maison de... je dirais plutôt un sanctuaire pour les braves guerriers de notre monde. Mais tout est arrêté aujourd'hui... Je vois que rien ne se fera, il faut quelqu'un pour s'en occuper sinon... enfin, le jeune homme ne peut rien y faire... et puis il y a cette guerre, les barbares, et... et... mais comment ce béorite est-il arrivé dans les enfers ?

Délicatement, le faune retira le gobelet des yeux de Peck qui, seulement à ce moment, comprit qu'il venait de faire un rêve éveillé.

— Eh bien, il n'en faut pas beaucoup pour te lancer, toi ! rigola le faune. Je crois bien que j'ai trouvé le korrigan qu'il me faut... ou la fée qu'il me faut, cela dépend de comment on voit les choses, n'est-ce pas ?

— Qu'est-ce qui vient de se passer ? demanda Peck légèrement angoissé. Je ne comprends pas trop... J'ai vraiment vu ce jeune homme, je n'ai rien inventé... et il y avait tellement d'autres choses tout autour... J'ai... j'ai même vu une jeune fille mourir...

— Je sais Peck, tu ne mens pas et tu ne peux pas mentir, c'est dans ta nature... Je crois qu'il est temps de partir. Prépare tes choses, nous allons quitter ta maison. Fais-lui tes adieux, tu ne la reverras jamais.

— Non, je ne peux pas quitter, je suis heureux ici... c'est ma maison, mon lieu de...

— Ton lieu de solitude et d'ennui, Peck ! Ton terrier protecteur qui t'éloigne du monde réel et où tu t'enfermes dans tes blessures d'enfance ! L'endroit choisi par Peck le rejeté, Peck sans amis et sans famille, Peck seul au monde qui sculpte ses visions et son angoisse sur ses cauchemars ! Quoique fort jolie, ta maison n'est pas une maison, Peck à l'Eau Claire, c'est ton cercueil !

— Mais vous... Qui êtes-vous ?

— Je suis ton sauveur, mon ami... Je suis celui qui donnera un sens à ta vie afin que le monde devienne un endroit meilleur !

— Mais je ne comprends pas... Je ne suis qu'un pauvre mélange de korrigan et de fée... Le monde n'a pas de place pour moi.

— Ce ne sont pas les êtres normaux, PECK À L'EAU CLAIRE, qui font une différence dans le monde, ce sont les créatures exceptionnelles ! Celles qui portent dans leur âme un morceau de ce sanctuaire que tu as vu... le Sanctuaire des Braves.

Chapitre 2
Le désordre

Il aura fallu deux jours et trois nuits complètes au faune pour convaincre Peck d'abandonner sa petite maison et son coin de terre chéri. Il a dû lui parler longuement de ses parents et de la fierté qu'il avait envers lui le jour de sa naissance. Ses parents savaient bien que Peck était l'enfant d'une relation interdite, voire désavouée par leur peuple respectif, mais le fruit de cet amour était plus important que les lois et les coutumes. Comme tous les parents, ils avaient placé de grands espoirs en leur fils! Des espoirs qui jamais ne pourraient éclore si Peck s'entêtait à demeurer caché dans son trou, à vivre reclus du monde tel un ermite ou à l'instar d'un criminel, à se dissimuler afin de s'extraire du monde. C'est en le martelant de cette idée, que le faune avait commencé à faire craquer la carapace de Peck. Il l'avait lentement convaincu de prendre son courage à deux mains et d'affronter ses peurs. Et ce ne fut pas une mince tâche, mais le demi-korrigan céda enfin et accepta de se lancer dans l'aventure. Une aventure dont il ne connaissait rien et à laquelle il devrait s'adapter jour après jour.

Peck avait bien fait sa valise et c'est avec regret qu'il quittait la jolie petite maison construite de ses mains. Quoi qu'ait pu en dire le faune, Peck avait adoré y vivre et jamais il ne l'avait imaginée comme un cercueil. C'est à cet endroit qu'il avait enfin connu la paix d'esprit dans une solitude quasi totale. D'ailleurs, entre ces quatre murs, il avait perdu la notion des saisons qui passent. Peck n'aurait pu dire combien de temps il avait habité là.

En se retournant une dernière fois pour admirer son havre de paix, Peck ressentit un malaise. Un étourdissement persistant le fit claudiquer, puis il tomba face contre terre.

Aussitôt, le faune lui porta secours.

— Peck! Que se passe-t-il, Peck? Dis-moi que tu n'es pas déjà épuisé par la route? Nous venons à peine de partir!

— Non, je suis désolé... Je ne comprends pas... Je regardais ma maison et les lilas au loin, je respirais une dernière fois leur doux parfum, quand l'image d'une ville à feu et à sang m'a terrassé.

— Hum, voilà que tu fais des cauchemars éveillés, et en plein jour? se questionna le faune. Il était temps de j'arrive! Le processus est déjà commencé!

— Le processus! s'étonna le demi-korrigan. Quel processus?

— Nous avons tout le temps d'en parler! Tu n'as jamais entendu parler de la Tabula Smaragdina, n'est-ce pas?

— La quoi? Hou là là, seulement avec le nom, on comprend que c'est une chose bien compliquée!

OUTCH, ma tête! Encore cette image, cette cité où le désordre et le chaos se répandent...

Peck n'avait pas tort, car la ville qu'il avait imaginée et ne connaissait pas s'appelait Berrion et celle-ci était bien en crise. Des protestataires étaient venus de tous les coins du pays pour réclamer la tête d'Amos Daragon. Des hommes et des femmes, des quatre coins du royaume des Quinze, s'étaient empressés de venir en aide au pauvre homme dont la fille avait été lâchement assassinée par le prince. Le tonnelier en peine avait bien vendu son histoire. Cette théorie accusant Amos d'avoir voulu violer sa fille pour ensuite la tuer fonctionnait à merveille. Grâce à son talent de comédien et à sa position de faiblesse envers le roi Junos et la grande administration du royaume des Quinze, l'homme s'était composé un personnage de parfaite victime. Selon ses dires, il était devenu le jouet d'un système corrompu qui protégeait les puissants, comme Amos Daragon, et refusait de rendre correctement la justice. Sa fille avait été assassinée par le prince parce qu'elle s'était refusée à lui! Et maintenant, le pouvoir en place protégeait le coupable et le cachait dans un lieu secret en attendant que la tempête passe. Mais le peuple n'avalerait pas cette couleuvre! Pour venger la mort d'Hermine, il fallait désigner un coupable et voir rouler sa tête aux pieds d'un bourreau. «Une vie pour une vie!», réclamaient haut et fort les manifestants qui, de jour en jour, se faisaient plus nombreux.

— Une vie pour une vie ! dit sans raison Peck qui marchait derrière le faune.

— Que dis-tu ?

— Je ne sais pas, répondit Peck en haussant les épaules. C'est venu comme ça ! Je marchais et j'ai eu envie de dire « une vie pour une vie ! ». Cela n'a aucun sens, il n'y a aucune logique là-dedans, rien de cohérent... J'ai lancé cette phrase comme ça ! Je crois que je deviens fou, c'est tout, fou... hou là là.

— Arrêtons une seconde, tu veux bien ? proposa le faune en observant la forêt tout autour de lui. Regarde, tu vois ce gros chêne là-bas ?

— Oui, je le vois, je le vois très bien...

— Au centre du tronc, il y a un trou de chouette.

— Oui, je le vois...

— Pose tes affaires ici, marche jusqu'à l'arbre et place ton oreille dans le trou. Si tu entends quelque chose, fais-moi signe, j'irai te rejoindre.

— Et s'il y a une chouette ? Je risque de me faire arracher l'oreille, hou là, hou là là !

— Le nid est vide, je le sais, fais-moi confiance...

À contrec'ur, Peck à l'Eau Claire obéit et se plaça la tête dans le trou, les oreilles grandes ouvertes. À part le bruit de quelques insectes rongeant l'écorce et le délicat déplacement des fourmis sous les feuilles de l'ancien nid, il n'entendit rien.

— Désolé ! lança-t-il au faune, je n'entends rien. Je vois bien une petite couleuvre, mais elle ne bouge pas, alors je ne peux pas l'entendre. Cependant, je peux la voir, ça compte ?

— Concentre-toi sur ce que je te dis, Peck! Décris-moi ce que tu entends, pas ce que tu vois! lui répondit le faune en s'approchant un peu de lui.

— Il n'y a rien, bon... Mais enfin, quand je dis rien, je veux dire qu'il n'y a rien d'intéressant! Rien de bien exceptionnel, de bien surprenant. Bon, oui, peut-être ces fourmis qui discutent entre elles, mais à part ça, il n'y a que ces fourmis qui forment un conseil autour d'une table dans un château assiégé, hou là! Mais c'est du sérieux cette affaire, le roi des fourmis se nomme Junos et il semble en colère...

De son trou dans le chêne, Peck réussissait à entendre les conversations entre Junos et les membres de son conseil. Leurs voix devinrent soudainement très claires, parfaitement audibles comme s'ils étaient juste là, autour de lui.

— Qu'allons-nous faire de cette foule de fous furieux? demanda Junos à ses ministres.

— Nous réussissons encore à les contenir hors du château, mais nos hommes se fatiguent et ils ne tiendront pas longtemps. J'ai demandé des renforts de Lys-sur-Rive et de Tom-sur-Mer... Nous les attendons toujours. Sauf votre respect, si Amos Daragon, votre fils adoptif, pouvait se présenter devant ces gens et expliquer ce qui est arrivé, les choses se calmeraient rapidement.

— Mais pensez-vous que je ne le sais pas! grogna Junos qui tentait de contenir son irritation. La situation dégénère parce que JUSTEMENT Amos demeure introuvable! J'ai envoyé des hommes à sa recherche, mais personne ne sait où il se cache. Nous croyons qu'il a traversé la porte des enfers, mais rien n'est moins certain. Une équipe est présentement sur les lieux, à sa recherche.

— Donc, vous avouez qu'il se cache! fit un des ministres.

— NON!, s'impatienta Junos. Il ne se cache pas! Il a été enlevé par deux démons, Béhémoth et Léviathan, qui désirent le mener dans les enfers afin qu'il y termine ses jours.

— C'est un peu poussé comme excuse, vous ne croyez pas? ajouta le ministre d'un ton moqueur. Comment voulez-vous que le peuple gobe ce mensonge? Si vous désirez protéger le prince, il vous faudra trouver autre chose!

— Mais je ne raconte pas de bobards dans la vie, monsieur le ministre! s'exclama Junos. Et je ne raconte pas non plus de mensonges, ni à ce conseil ni au peuple. Sachez que je gouverne dans l'honnêteté et si mes explications vous semblent farfelues, vous pouvez quitter cette table, je ne vous retiens pas.

À l'extérieur, le peuple scandait des slogans contre Amos et Junos. Accusant l'un de meurtrier et l'autre de complice, ils réclamaient justice. Par vague, les manifestants tentaient de forcer la grande porte du château, mais ils étaient chaque fois repoussés par des chevaliers de moins en moins nombreux et de plus en plus fatigués. Comme Junos avait interdit à ses hommes d'utiliser leur lame contre le peuple, ils s'efforçaient de les maintenir à distance en utilisant de longues perches ressemblant à des râteaux et des triques de bois dont le bout, entouré de fougères, servait de coussin protecteur. Deux fois par jour, on aspergeait le passage menant aux portes avec de l'huile afin que les manifestants ne puissent s'y tenir debout. Cette stratégie avait bien fonctionné jusqu'à ce qu'un énergumène y mette le feu pendant que son groupe tentait de monter aux portes. Plusieurs d'entre eux subirent de graves blessures et la foule s'empressa de condamner les chevaliers pour cet acte sauvage de répression. Le feu n'avait fait qu'attiser la colère.

— Demandez au dragon de disperser la foule! proposa un des ministres. De toute évidence, ils écouteront la raison du plus fort! Nous devons les soumettre, rétablir la paix à tout prix! Pourquoi pas une loi? Allons-y avec une loi spéciale!

— Un climat de terreur ne ferait qu'alimenter davantage leur hargne! répondit Junos. Et puis Maelström ne sera jamais complice d'un tel scénario, c'est une créature pacifique! Quant aux lois, elles ne servent à rien quand le peuple est en colère!

— Mais j'ai entendu que le frère du dragon, lui, n'était pas pacifique! argumenta le ministre. On dit qu'il vit dans la grande montagne de Ramusberget et qu'il n'est pas commode! Allons le chercher afin qu'il serve notre cause! Avec beaucoup d'or, nous pourrons certainement le convaincre.

— Allez-vous finir par m'écouter, ESPÈCES D'IDIOTS! explosa Junos. Je ne veux pas mater le peuple, je veux une résolution pacifique de ce conflit ! Et c'est précisément pour cette raison que vous êtes ici ! J'ai besoin d'idées, de pistes à suivre et pas d'idées farfelues !

À ce moment, un pavé fit exploser les volets de bois de la salle de réunion et vint rouler sur la table avant de s'arrêter en face du souverain. À l'extérieur, des cris de victoire se firent entendre.

— Voilà qu'ils se sont fabriqué des trébuchets ! soupira Junos. Bientôt, ils nous bombarderont de tous les côtés.

— Demandons l'aide des fées ! proposa alors Frilla Daragon, la mère d'Amos.

— Euh… mais je…, balbutia Junos. Je ne comprends pas comment elles pourraient nous venir en aide.

— Tu es bien placé pour savoir que les fées ont un pouvoir sur le temps, non ? fit la reine.

Dans sa jeunesse, Junos avait subi le châtiment de la ronde des fées et celles-ci lui avaient volé cinquante ans de sa vie. Heureusement, la rencontre avec Amos et la bonté de Gwenfadrille lui avait permis de les vivre pleinement.

— Demandons-leur de ralentir ou d'arrêter le passage du temps sur la ville. Ainsi, nous gagnerons de précieuses journées qui permettront à notre équipe de retrouver Amos et de le ramener ici, continua Frilla.

— Pas bête du tout…, murmura Junos.

— Je crois que nous n'avons pas d'autre choix, continua la reine. Comme une répression n'est pas envisageable et que la violence augmente de jour en jour, eh bien, agissons sur le temps.

— Gagnons du temps ! rigola Junos. Si les fées peuvent agir sur tout ce qui se trouve à l'intérieur des murs de la ville, en excluant cependant notre château, nous pourrons continuer de travailler en temps réel pour aider notre équipe à retrouver Amos. C'est la plus extraordinaire des idées !

— Mais il y aura des conséquences, ajouta Frilla. Lorsque Gwenfadrille se mêle de nos affaires, il y a toujours des surprises ! On ne peut pas tout prévoir avec les fées...

— Je suis prêt à prendre le risque, décida Junos. Je demanderai à être reçu au bois de Tarkasis...

Peck décolla son oreille du tronc. Il paraissait lointain et absent.

— Ça ne fonctionnera jamais, murmura-t-il. Les fées n'auront pas le temps ni la force d'opérer un tel prodige ! Hou là là ! Je n'aimerais pas être dans la peau de cette fourmi-là !

— Quelle fourmi ?

— Celle qui se nomme Junos et qui dirige, avec ses conseillers, une grande cité, répondit Peck, toujours un peu absorbé dans ses pensées. Hou là là ! Ça chauffe chez les insectes, jamais je n'aurais pensé qu'il y avait des dragons chez les fourmis. Vous avez déjà vu des fourmis dragons ?

— Laisse tomber ces petites bêtes, Peck ! Elles n'ont rien à voir avec cette histoire. Si tu as mentionné le nom de Junos, c'est que tu entends ce qui se passe à Berrion, non ? fit le faune surpris.

— Je ne sais pas où est Berrion, mais je vois une ville à travers le trou de l'arbre ! Vous voyez, vous, de l'autre côté des murs d'enceinte du châ-teau ? Regardez bien ! Il y a une autre réunion, mais celle-là est composée des chefs de la rébellion. Oh, vous avez raison, ce ne sont pas des fourmis, ce sont des hommes méchants !

Outre le tonnelier, il y avait à la réunion le chef d'une organisation secrète de Lys-sur-Rive dont le but avoué était de créer le chaos partout dans le royaume des Quinze en espérant, de ce fait, désta-biliser la monarchie. Son intention était de prendre le pouvoir par la force et d'installer sa famille sur le trône. Deux chefs barbares des contrées du Nord ainsi qu'un représentant de chaque guilde des métiers étaient aussi présents à la table de déci-sion. Une trentaine de personnes assistaient donc à la mise au point quotidienne des membres de la Révolution des Justes, nom que le groupe de mani-festants s'était pompeusement accordé.

— Avez-vous des nouvelles d'Amos Daragon ? demanda d'emblée le tonnelier sur le ton d'un chef de guerre. Nous devons absolument le débusquer ! Pour que justice soit rendue, il faut sa tête sur le bout d'une pique !

— Personne ne l'a vu ! répondit aussitôt le chef des conspirateurs. J'ai des hommes infiltrés dans tous les royaumes, même ici, à Berrion. Ceux-ci m'affirment ne pas l'avoir vu. Mon espion qui habite chez Junos m'a confirmé avoir lui-même fouillé le château de fond en comble, des caves jusqu'aux greniers. Il n'y a aucune trace du prince ! Il s'est volatilisé !

— Pas étonnant, avec ses pouvoirs, il peut tout faire ! grogna le tonnelier de mécontentement.

— Mais c'est bien là le problème ! enchaîna le comploteur. Toujours selon mon espion, Amos Daragon aurait perdu ses masques de pouvoir et n'aurait plus aucun de ses anciens pouvoirs sur les éléments. Il serait redevenu un être humain, comme nous tous... Et chacun sait qu'un simple mortel n'a pas la capacité de disparaître !

— Il doit se cacher avec son dragon, fit un chef barbare, dans son Sanctuaire des Braves, là-haut, tout en haut de la grande montagne. Là-bas, tu n'as pas d'espions et lui, Amos Daragon, a beaucoup d'amis de toutes les races pour assurer sa protection ! C'est là que nous devons frapper !

— Pas question de quitter Berrion ! répondit le tonnelier. Les choses vont trop bien ici ! Junos est sur le point d'abdiquer...

— Tu es stupide, tonnelier, rigola le second chef barbare. Lorsqu'ils décideront d'envoyer le dragon contre nous, ta guerre sera perdue.

— Je connais bien Junos et il est mou ! ajouta le tonnelier. Jamais il n'osera agir de la sorte avec son peuple ! Il cherchera une solution plus humaine, moins drastique ! Ce qui est une qualité en temps de paix devient soudainement un défaut en temps de guerre.

Les deux chefs barbares pouffèrent d'un grand rire sonore.

— Regarde qui parle, mon ami ! lança l'un à l'autre. La souffrance d'avoir perdu une fille ne donne pas plus de jugement ! Depuis quand les tonneliers deviennent-ils chefs de guerre? Tu as le bon sens d'une truie et l'intelligence d'un crapaud! Les hommes de petits métiers ne devraient pas prendre de grandes décisions!

Les représentants des guildes autour de la table protestèrent un peu, mais de toute évidence, le barbare avait raison. Les cordonniers font de piètres révolutionnaires et on n'avait jamais vu un chapelier mener de grandes batailles sinon qu'avec ses ciseaux sur une planche à découper.

— Oui, bon... il est vrai que..., fit le comploteur qui voyait le vent tourner, il serait peut-être plus sage de confier la stratégie de notre offensive à des hommes de guerre.

— Je ne comprends pas, répondit le tonnelier. Nous sommes réunis ici pour venger la mort de ma fille et demander que justice soit faite, non?

— Il arrive que les enjeux d'un conflit changent en cours de route, argumenta l'un des barbares. De toute évidence, Amos Daragon se cache et nous ne le récupérerons que difficilement. Cependant, nous avons le contrôle de Berrion et nous pouvons détrôner le souverain du royaume des Quinze. Les renforts des chevaliers sont encore loin et cela nous donne un avantage certain.

— Tu veux être vengé, tonnelier, n'est-ce pas? demanda l'autre barbare.

— Oui, c'est ce que je veux.

— Eh bien, laisse-nous mener ce combat et je te jure que tu auras ce que tu désires, proposa-t-il. Tu aimerais voir la tête de Junos et celle de Frilla sur le bout d'une pique? Faire souffrir Amos comme tu souffres aujourd'hui ne serait-il pas un meilleur châtiment pour lui?

Le tonnelier réfléchit quelques secondes. De toute évidence, ses revendications venaient de se complexifier. Il aurait dû s'en douter. En invitant deux chefs barbares à la table de décision, lui qui désirait profiter de leur expertise dans l'art de la guerre, se retrouverait à la merci de leurs décisions. En quelques jours, les barbares lui avaient marché sur la tête et pris les rênes de SA Révolution des Justes. Cependant, c'était lui le chef et personne ne lui dirait quoi faire. Sa quête de justice était noble et devait se poursuivre. La dérouter lui retirerait tout son sens.

À ce moment, alors que le tonnelier s'apprêtait à rendre sa décision, son ami le maçon se pencha sur son épaule et lui chuchota quelques mots à l'oreille.

— Euh... désolé de troubler ta réflexion, mais les deux chefs barbares et le conspirateur ont dégainé leur dague sous la table. Je crois bien que tu devrais leur céder le pouvoir. Si tu t'obstines, tu ne sortiras pas de cette pièce. Ta mort ne vengera pas Hermine, mon ami...

Le tonnelier remercia le maçon d'un petit signe de tête et toussota. À ce moment, l'un des chefs barbares lui montra discrètement sa lame en souriant.

— Je crois que cette Révolution des Justes a besoin de nouveaux chefs et... et je ne pense pas être celui qui doit poursuivre cette lutte, dit le tonnelier. Je cède donc ma place avec joie, et ce, en espérant la victoire du peuple sur la tyrannie de Berrion.

Bien conscients que les enjeux de la révolution venaient de se bonifier d'un acte de guerre, les représentants des guildes applaudirent discrètement. De toute évidence, la suite des événements n'allait pas être de tout repos.

— Bon choix ! applaudirent les barbares.

— Maintenant, nous passerons à la vitesse supérieure, dit l'un d'eux qui s'était visiblement accordé le poste du tonnelier. Ceux et celles d'entre vous qui refuseront d'obéir seront condamnés à perdre un membre de leur famille. Grâce aux bons camarades de notre ami le conspirateur, nous savons tout de vos proches et il serait dommage qu'ils subissent les conséquences de votre stupidité. Ceux qui ne sont pas nos amis sont nos ennemis, voilà tout.

Les artisans se regardèrent les uns les autres en partageant, des yeux, la certitude qu'ils avaient poussé cette affaire un peu trop loin.

Peck poussa un long soupir avant de retirer sa tête du trou de chouette.

— Ça ne va pas bien, dit-il au faune. De terribles choses vont bientôt se produire, hou là là ! Affreux ! Il y aura des morts, beaucoup de morts...

— Dis-moi, Peck, ta vision a-t-elle fait mention d'un jeune homme que l'on appelle Amos Daragon ? le questionna le faune.

— Oui, oui... plusieurs fois et tous les troubles semblent être sa faute ! C'est terrible, car on le cherche partout et personne ne semble savoir où il se trouve. On croit qu'il est le seul être capable de régler les problèmes... Tout le monde se fie à lui.

— Toi, tu sais qui est Amos Daragon ? demanda le faune. Tu as déjà entendu parler de lui ?

— Non, jamais, répondit Peck. À part dans mes cauchemars, mais cela n'est pas la réalité et ça ne compte pas, non ? Ça compte ? Si oui, eh bien, oui... je sais qui est ce jeune homme, mais personnellement, je ne le connais pas si telle était la nature de votre question. Enfin, j'ai entendu son nom...

— Bon, très bien, conclut le faune. Poursuivons notre route, nous avons un très long voyage devant nous.

— Je sais que j'ai posé la question une bonne dizaine de fois, mais j'aimerais peut-être savoir où nous allons afin d'avoir l'impression que je fais partie de ce voyage, parce que, si je vous perdais en route, vous savez, je ne saurais pas quoi faire ni où aller et ma sécurité vaut peut-être la peine que je...

— Peck à l'Eau Claire ! s'impatienta le faune. Tais-toi ! Je suis habitué de marcher en silence. La destination n'a pas d'importance mon ami, concentre-toi sur le voyage que tu t'apprêtes à accomplir. Le bonheur est dans le présent, dans les prochains pas que tu feras, dans l'aventure que tu te prépares à vivre.

— Mais oui... mais oui... je me tais... ferme-la, Peck et marche, hou là là ! Pfft...

Ainsi, le faune et le demi-korrigan reprirent leur route vers les montagnes.

Chapitre 3

Le chaos

Fatigué par sa journée de marche, Peck à l'Eau Claire s'était endormi très vite. Roulé en boule dans une couverture de laine, la chaleur du feu lui caressant le dos, le demi-korrigan sombra dans un profond sommeil. Alors que le corps de Peck refaisait son plein d'énergie, son esprit, lui, vagabondait encore, mais cette fois jusqu'à la lointaine île Blanche, la terre des druides.

Son regard éthéré se fixa sur un jeune homme dont l'image lui était familière. Un visage marqué par la détresse et l'impuissance. Plusieurs fois, il l'avait vu en songe, puis sculpté au matin sur des bouts de bois. Peck savait que se tisserait un jour un lien particulier entre eux, une fraternité presque mystique. Mais en attendant ce jour, il rêvait souvent à lui.

Pendant que le désordre régnait à Berrion, Amos Daragon se voyait lui aussi sombrer lentement dans le chaos. Mais sa peine n'avait rien en commun avec une révolte à mater ni une révolution à faire. Son mal à lui était intime et intérieur, souffrant et inhibant, solitaire et sordide. L'ancien porteur de masques avait tout perdu de son ancienne sagacité, de sa force et de ses facultés. Pire, il n'avait plus envie de se battre, même plus envie de vivre.

«Peck commence à s'agiter, se dit le faune qui veillait près du feu, un thé à la main. Je me demande ce qu'il peut bien voir, à quelle scène du présent, du futur ou du passé il est en train d'assister.»

Sur l'île Blanche, depuis bientôt une semaine, Amos n'avait rien fait sinon attendre en espérant, tous les jours, que la mort l'emporte dans son sommeil.

— C'est pire que l'enfer, ce que tu vis... sssssss... n'est-ce pas? dit une voix qu'il avait déjà entendue et qu'il n'avait pas envie d'écouter à nouveau.

Amos soupira. Il n'avait pas envie de voir ni de parler à personne.

— Je m'appelle Sig Dreuf et je suis... sssssss... un druide de la race des nagas. Tu connais notre espèce? Je demande, car parfois, sssssss, mon aspect de serpent en rebute... sssssss... plus d'un.

Si Amos connaissait les nagas? Lui, dont le premier ennemi avait été le sorcier Karmakas, un homme-serpent dans la ville de Bratel-la-Grande! Mais bien sûr qu'il connaissait cette race de menteurs et de filous. Bhogavati, leur grande capitale, n'était-elle pas remplie de ces rapaces à deux visages? Il connaissait très bien la race du druide Dreuf, mais décida de l'ignorer plutôt que de lui répondre.

— Tu as le mal de l'âme, sssssss, continua-t-il. Il s'agit d'une maladie qui ne laisse pas de traces sur ton corps, mais qui agit... sssssss... directement sur ton esprit. Il est possible d'en guérir, mais il faut faire de très gros efforts... ssssss... et le résultat n'est jamais certain. Tu comprends ce que je te dis ?

Amos avait déjà rencontré ce nagas qui lui avait fixé un rendez-vous auquel il ne s'était jamais présenté. Pourquoi cette créature s'obstinait-elle à vouloir le guérir d'une maladie dont il n'était pas atteint ?

Peck à l'Eau Claire commença à bouger les bras et les jambes. Ces sursauts attirèrent un peu plus l'attention du faune qui retira, afin qu'il ne se blesse pas, quelques pierres autour du rêveur. Il tâta son pouls et constata une nette augmentation de son rythme cardiaque. Peck avait le visage crispé, serrait les dents et semblait fortement contrarié. Il était en symbiose avec son rêve, en contact étroit avec la scène qui se déroulait dans son esprit.

Toujours aussi froid envers Dreuf, Amos poussa un long soupir d'agacement, mais ne trouva pas la force pour se lever de son banc et marcher un peu plus loin. Après tout, se dit-il, l'île Blanche est petite et la créature réussira certainement à me retrouver si elle le désire. Pour lui, il valait mieux rester sans bouger jusqu'à ce qu'elle se fatigue et parte.

— Pour guérir, lui expliqua Sig Dreuf, il faut commencer par... ssssss... s'occuper de sa santé corporelle. Tu dois avant tout faire un peu d'exercice, ssssss, manger sainement trois fois par jour et bien dormir. Ensuite, nous verrons si tu peux parler avec un... sssss... ou une amie. Tu connais quelqu'un que je pourrais inviter à venir... sssss... te rencontrer?

Amos esquissa un sourire. Il voulait un nom, eh bien, il en aurait un.

— J'aimerais voir mon père, Urban Daragon, fit-il avec désinvolture.

— Très bien!, s'exclama avec joie le druide. Le processus de guérison... sssss... commence toujours avec un élan du patient. Je tâcherai de trouver ton père... sssss... et de le faire venir sur l'île... sssss... ça te va?

À ces mots, Amos faillit pouffer. Il s'était bien moqué de lui, car son père, Urban, était mort depuis plusieurs années d'une flèche tirée par un bonnet-rouge. Un trait qui lui avait transpercé la gorge et l'avait tué d'un coup, sans qu'Amos puisse jamais lui dire au revoir.

— Parfait!, gloussa Amos. Amenez-moi mon père et je ferai le traitement que vous me suggérez. S'il refuse de venir, eh bien, vous me ficherez la paix, marché conclu?

— C'est une excellente... sssss... suggestion! se réjouit Sig Dreuf. Peux-tu me dire dans quelle ville il se trouve afin que je lui fasse parvenir... sssss... un message?

— Mais non, répondit Amos, c'est à vous de ratisser le pays pour le retrouver, sinon quel plaisir aurez-vous à tenter de me guérir s'il n'y a pas un peu de défi? Les choses se méritent dans la vie, ne croyez-vous pas?

— Hum... je vois, et à quoi dois-je m'attendre si je le retrouve ? C'est un type... sssssss... déplaisant, obtus ? Vous n'avez pas une bonne relation... sssssss... avec lui, c'est ça ?

— En fait, nous n'avons plus du tout de relation depuis quelques années, répondit Amos qui se moquait du druide. C'est une histoire de flèche qui nous a divisés ! Il y avait aussi quelques gros bonnets rouges dans notre conflit... Moi, je préférais les bonnets verts à ce moment.

— Je vois, se résigna le nagas, tu adoptes une mauvaise attitude... sssssss... dans le but de te débarrasser de moi, n'est-ce pas ?

— Par tous les dieux, vous êtes génial ! se moqua Amos. Vous venez tout juste de me percer à jour ! Mais dites-moi, espèce de sale serpent de Bhogavati, vous considérez-vous comme la plus intelligente créature de votre race ou la plus bête ? Votre peuple de rampants crapahute dans la saleté de vos collines chauves depuis des siècles et cela ne vous qualifie en rien pour me venir en aide. Foutez le camp, Dreuf, et laissez-moi crever en paix !

Le druide esquissa un léger sourire. Par sa colère, Amos venait de sortir de son inertie. C'était la première fois depuis qu'il était arrivé sur l'île qu'il démontrait un peu de tonus.

— As-tu mangé... sssssss... ce matin ? lui demanda le nagas, comme s'il n'avait rien entendu des dernières paroles. Avec l'estomac vide... sssssss... on ne peut pas guérir !

Exaspéré, Amos serra les dents et se leva brusquement.

Dans son sommeil, Peck tressaillit un bon coup.

— Mais vous êtes bouché ou quoi, tête de vipère? lança-t-il furieusement. Je veux qu'on me laisse tranquille! Je veux qu'on me fiche la paix! Je n'ai rien demandé à personne et je ne demande rien non plus. Depuis le début, je... je n'ai rien choisi! Je n'ai pas demandé à devenir porteur de masques, pas demandé à rétablir l'équilibre du monde, pas demandé à parcourir le monde, pas demandé à vivre sous la constante menace des dieux, pas demandé d'avoir des masques de pouvoir et pas demandé à les perdre non plus... Je n'ai pas demandé de quitter Lolya, je n'ai même pas demandé de la rencontrer, je n'ai pas non plus demandé à des démons de me pourchasser, je n'ai rien demandé! Rien à personne! Rien à Crivannia, rien à Gwenfadrille, rien à la Dame blanche, rien à mes parents, rien de rien et rien non plus aux dieux, alors maintenant, tout ce que je demande, C'EST D'AVOIR LA PAIX! JE VEUX QU'ON ME FICHE LA PAIX! C'EST POURTANT SIMPLE ÇA, NON? LA PAIX, LE SILENCE ET LA MORT, C'EST TOUT CE QUE JE VEUX! JE VEUX DISPARAÎTRE ET NE PLUS EXISTER. JE VEUX ÊTRE SEUL, SEUL POUR L'ÉTERNITÉ! SEUL ET EN PAIX! COMBIEN DE FOIS VAIS-JE DEVOIR LE RÉPÉTER?

Peck à l'Eau Claire poussa un cri, puis deux, puis trois. Très agité, il suait à grosses gouttes tout en se convulsant.

Une fois la litanie d'Amos terminée, Sig Dreuf regarda Amos dans les yeux.

Le garçon qui était devant lui était en très mauvais état. Cheveux en broussailles, enragé et la bouche remplie d'écume, il était loin du héros sympathique et jovial dont il avait déjà entendu raconter les exploits. C'était désormais un garçon à moitié fou, tremblant et nerveux, dont la confiance et l'estime de soi avaient été complètement évacuées. Un beau cas pour un guérisseur de l'âme.

— Vous ne répondez pas quand je vous parle, grogna Amos les dents serrées.

Volontairement, Sig Dreuf ne répondit encore rien.

— Allez-vous me foutre la paix, maintenant? demanda anxieusement le porteur de masques qui tremblait de tous ses membres.

— Tu connais un endroit qui... sssssss... se nomme le Sanctuaire des Braves? demanda le nagas.

Amos sursauta. Bien entendu qu'il le connaissait! C'est précisément l'endroit qu'Arkillon lui avait demandé de construire afin d'honorer la mémoire des anciens héros morts pour rétablir l'équilibre du monde. C'est précisément cet endroit qu'il était en train de bâtir avant la mort d'Hermine à Berrion. Ce lieu, encore très embryonnaire, n'était connu que par très peu de personnes. Le nagas avait-il lu dans son esprit?

— Le Sanctuaire des Braves est un lieu mythique qui... sssssss... se trouve à l'intérieur même des grands héros de ce monde, continua-t-il sans attendre la réponse à sa question. Très peu de gens le possèdent en eux, mais ceux qui... sssss... ont la chance de l'avoir sont voués à une existence extraordinaire remplie d'aventures et de grandes découvertes. C'est précisément... sssss... ton cas!

Perturbé par ce qu'il venait d'entendre, Amos, qui s'était levé pendant sa colère, retomba assis sur son banc. Avait-il mal compris ce qu'Arkillon lui avait demandé? Toute cette histoire de sanctuaire n'était-elle qu'une simple métaphore pour l'informer et le guider sur le chemin de cette recherche intérieure? Amos nageait dans la confusion.

— Le Sanctuaire des Braves ne peut pas être ce que vous dites, hésita Amos, c'est autre chose...

Il se rappela ensuite la conversation qu'il avait eue avec Arkillon.

« Tu dois leur créer un lieu où leurs âmes pourront reposer en paix et où leurs exploits seront chantés à jamais. Ainsi, ils vivront dans le souvenir des mortels. Ces valeureux, prisonniers dans les mondes éthérés, trouveront ce lieu d'exception créé en leur nom et marcheront vers lui. Cet endroit sacré, où ils pourront puiser de l'énergie positive afin de se régénérer, leur permettra de rejoindre la Dame blanche. Ainsi, leurs âmes ne seront pas perdues et ils contribueront à l'équilibre du monde. »

Amos se gratta la tête. Troublé, il repensa à la suite de la conversation.

« Je ne t'oblige à rien, mais je te le demande amicalement... Cet endroit que tu choisiras pourra aussi servir de lieu de rencontre où tous ceux qui croient aux vertus des forces de la Dame blanche pourront se retrouver. Des aventuriers du monde entier pourront venir s'y ressourcer! Mais pour cela, tu dois choisir un endroit exceptionnel où tu ne délogeras personne de son habitat. Ce temple doit être bâti dans la paix et l'harmonie, pas dans la confrontation ou la guerre. »

— Ce n'est pas possible, ce que vous dites n'a pas de sens! protesta Amos. Vous tentez de me manipuler! Je ne sais pas comment vous avez fait pour connaître le Sanctuaire des Braves, mais... je ne vous fais pas confiance.

— Très bien, Amos, conclut laconiquement Sig Dreuf. Mais j'ai bien ta parole... ssssss... au sujet de ton père, n'est-ce pas? Si je te le fais rencontrer... ssssss... nous commencerons le travail de guérison. C'est bien ce qui... ssssss... a été convenu?

Amos rigola.

— Oui, je suis tout à fait d'accord! Amenez-moi mon père et je jure de faire tout ce que vous me direz de faire. Je vous promets même d'essayer de guérir.

— C'est tout... ssssss... ce dont j'avais besoin, fit Sig Dreuf en esquissant un large sourire.

Peck à l'Eau Claire se réveilla en poussant un cri.

— Un mauvais rêve? lui demanda le faune.

— De l'eau, j'ai soif, fit Peck le souffle court. J'ai tellement soif et tellement chaud, je ne veux pas que Sig Dreuf s'occupe de moi... Je ne fais pas confiance aux nagas, c'est comme ça. Je ne supporterais pas que cet énergumène se mêle de ma vie intime, je refuse de m'ouvrir, de lui parler, plutôt mourir !

— Mais de qui parles-tu Peck ? fit le faune en lui présentant une gourde d'eau fraîche.

S'aspergeant le visage, le demi-korrigan recouvra un peu ses esprits.

— Je ne sais pas, répondit-il. Je ne sais pas... C'était dans mon rêve, dans ce cauchemar où il y avait ce jeune homme...

— Amos Daragon ?

— Oui, c'était lui... Il est désespéré et il veut mourir, je le sens, je le vois. Puis, il y a cet hommanimal, un serpent, qui désire l'aider, mais je crois qu'il a des intentions cachées, ce n'est pas clair... Il semble compétent. Cependant, je n'ai pas confiance en lui.

— Toi ou Amos Daragon ?

— Lui, pas moi ! Moi, je suis ici, mais je le vois, lui... C'est un elfe noir qui a volé ses masques et un autre qui lui a parlé du Sanctuaire des Braves... Vous savez, ce dont vous m'avez déjà parlé, cette force qui se trouve à l'intérieur des héros, ce lien commun entre les forces vives, les âmes pures de ce monde... Hou là là ! Hou là là !

Le faune sourit de toutes ses dents. Peck venait de lui confirmer ce qu'il supposait depuis le jour de sa naissance.

— Pourquoi riez-vous ? J'ai dit quelque chose d'amusant ? Parce que, entre vous et moi, ces cauchemars, je n'en peux plus ! Si au moins je pouvais y trouver un sens, une signification à laquelle me raccrocher un peu. Mais là, hou là là, c'est tout à fait impossible ! Je deviens fou... je sais, je deviens fou. Ce doit être cela qui vous amuse, non ?

— Peck ! rigola le faune. Tu es LE bâtisseur ! Voilà pourquoi tu fais ces cauchemars.

— Super ! Je comprends encore moins. Décidément, je dois être bête comme mes deux pieds.

— Non, tu n'es pas bête, c'est même tout le contraire.

— Alors, expliquez-moi, parce que, entre nous, hou là là, je suis à bout !

Le faune se versa un peu de thé.

— Écoute Peck et ne m'interromps pas... Depuis que l'équilibre du monde a été rétabli...

— Le monde était en déséquilibre ?

— Peck ! grogna le faune. Je t'ai demandé de ne pas m'interrompre ! Je te connais et si je réponds à toutes tes questions, nous serons encore en train de parler au lever du soleil.

— Je me tais.

— Alors, depuis qu'Amos Daragon et les autres porteurs de masques ont réussi à implanter la Dame blanche dans sa création pour ainsi diminuer les pouvoirs des dieux sur le monde, ceux-ci ont décidé de se venger. Pour ce faire, les immortels se sont concertés et, plutôt que d'abandonner le monde à leur créatrice, ils ont décidé de le détruire.

— Hou là là ! C'est compliqué...

— Tu as raison, ce n'est jamais simple lorsqu'on côtoie les dieux, leurs pouvoirs, leurs désirs et, finalement, leur mesquinerie. Cela dit, retiens simplement que les forces de la Dame blanche, dont je fais partie, ont décidé de s'unir afin de créer un endroit unique, un sanctuaire à l'abri des dieux où une nouvelle génération de héros sera formée afin de maintenir, avec l'aide d'Amos Daragon, l'équilibre du monde.

— Et moi, je suis le bâtisseur ?

— Tu es celui qui voit et celui qui construit, enfin, celui qui devra concrétiser, dans l'univers matériel de ce monde, le sanctuaire. Lorsque terminé, cet endroit deviendra une porte entre les univers et les grands héros du Nouveau et des Anciens Mondes pourront venir s'y reposer. Leur présence servira à protéger le Sanctuaire des dieux afin de former de nouvelles générations de protecteurs de l'équilibre du monde.

— Et je le construis avec quoi, ce Sanctuaire des Braves ? Et comment ?

— Je ne le sais pas non plus, fit le faune en haussant les épaules, nous verrons bien. Il faut avoir la foi, cher Peck, uniquement la foi.

— Et pourquoi je vois cet Amos Daragon en rêve ? questionna Peck à l'Eau Claire, très angoissé par son nouveau titre de bâtisseur. Parce que moi, ce jeune homme, je ne le connais pas et il est en très mauvais état ! Je dois le sauver ? L'aider ? Lui construire une maison ?

— Amos ? répondit le faune avec un large sourire. Eh bien lui, c'est le SOUFFLE DE VIE...

Chapitre 4

Ce cher Baal

Il était devant eux, le Grand Duc, Baal, souverain suprême du deuxième niveau des enfers. Avec sa petite taille et sa tête de chat, il n'avait pas l'air bien méchant. Pourtant, lorsqu'en colère, il pouvait être aussi puissant qu'une armée de dragons, aussi fort qu'un titan de pierre.

Devant le démon se trouvait l'équipe descendue dans les enfers à la recherche d'Amos. Il y avait Béorf et Médousa, l'un contre l'autre, prêts à affronter Baal, le chevalier Alior aux Dents rouges, un peu perplexe devant le petit personnage, les archers Bois d'Orme, If de Brise et Nellas Calafaras, chacun une flèche entre les doigts, Mordoc de Mordonnie, la main sur le pommeau de son épée et malgré tout prêt à détaler comme un lapin, et Aylol, l'esprit parasite ayant possédé Lolya qui, à genoux, tremblait de joie devant son maître et créateur.

— Vous n'auriez pas vu une horde de goules par hasard? Elles m'ont échappé! leur demanda très poliment Baal. Ces petites bêtes n'en font qu'à leur tête, il suffit de tourner le regard une seconde et elles vous filent entre les doigts!

La troupe d'aventuriers avait bien rencontré ces goules, mais les avait réduites, non sans mal, en bouillie. Ne voulant pas déplaire au très puissant démon et n'ayant pas de mensonge prêt à lui envoyer, les compagnons s'échangèrent quelques embarrassants regards.

— Vous êtes sourds, fous ou vous ne parlez pas ma langue ? insista Baal. Pourtant, je me fais comprendre de 666 races d'humanoïdes et de démons !

Quelqu'un devait briser la glace.

— Des quoi ? demanda Alior en mauvais acteur. Des moules ?

— Non, des goules, répéta Baal. Ah, je vois, nous ne savez pas ce que sont les goules, d'où votre air ahuri ! Ce sont de petits êtres très vicieux et pas du tout sympathiques. Ils se promènent en bande et détruisent tout sur leur passage.

— Vous savez, nous avons vu tellement de choses ces derniers temps, intervint Mordoc, qu'il nous serait difficile d'affirmer qu'elles étaient bien des goules. Après tout, il y a tellement de créatures qui vivent dans ces lieux, n'est-ce pas ? Mais si c'est bien ce que je crois, elles ont emprunté le très long passage vers la sortie.

— Ah, fit simplement Baal, oui... c'est vrai qu'il y a de nombreuses créatures ici. Si elles se sont lancées vers les portes, je les ai perdues, c'est évident ! Dommage, elles m'amusaient bien ces petites créatures !

— Maître... je... je... suis... ici, fit Aylol d'une voix chevrotante, à genoux dans la poussière. Je suis à votre service... votre démon parasite est de retour... je suis née de votre grandeur et ne désire plus que vous obéir pour l'éternité.

Baal se retourna vers Lolya et fit mine de ne pas l'apercevoir. Son ancien parasite ne l'intéressait pas le moins du monde.

— Vous êtes en vacances ? demanda gentiment Baal au groupe d'aventuriers. Il fait un peu chaud pour la saison, non ?

— Pas exactement, répondit Mordoc qui s'était tout naturellement approprié le titre de voix officielle du groupe. Mais cela ne nous empêche pas d'apprécier le paysage et le temps qu'il fait ! C'est fascinant, ce ciel dramatique et ces montagnes gigantesques là-bas. Vous avez certes un beau pays ! Mais pour répondre plus précisément à votre question, je dirais que nous sommes ici... pour affaires !

— Oh, c'est bien les affaires ! fit Baal tout impressionné. J'aime beaucoup faire des affaires. On dit que je suis un excellent négociateur. Parfois, je signe des contrats avec les mortels...

— Maître... votre dévoué parasite est ici... je suis... ici... moi, ici, juste devant vous... mon créateur... mon dieu... ajouta Aylol sans attirer sur elle l'attention de Baal. Ce ne sont pas des marchands, ce sont des explorateurs venus piller les enfers... ils vous mentent odieusement, grand seigneur...

— Nous allions justement faire du thé, proposa Mordoc en agissant comme si Aylol était restée muette. Vous désirez peut-être nous accompagner pour une petite dégustation ?

— Avez-vous des petits biscuits secs? s'empressa de demander Baal. J'adore les petits biscuits au beurre avec le thé. C'est si fin et délicat!

Mordoc se retourna vers Béorf qui lui fit un signe positif de la tête.

— Mais oui, rigola un peu nerveusement Mordoc. Comment apprécier le thé sans ces délicatesses? Moi, je craque pour les biscottes à la confiture de fraises! C'est frais et dansant dans la bouche, n'est-ce pas?

— Vous êtes un homme de goût, monsieur, le complimenta Baal. Quel plaisir de croiser votre route!

— Mais maître... je... me voilà de retour... auprès de... de vous, balbutia une fois de plus Aylol. Lui, c'est un voleur... l'autre, un chevalier! Ce sont des ennemis de votre royaume, seigneur Baal. Mais moi, je suis votre toute dévouée... j'implore votre grandeur et Votre Majesté...

Baal poussa un léger soupir d'agacement, puis se retourna vers Alior aux Dents rouges.

— Puis-je emprunter votre épée, cher monsieur? demanda gentiment le démon au chevalier.

— Mais avec plaisir, lui répondit Alior en présentant son arme.

Bien que longue et très lourde, Baal saisit l'épée d'une seule main comme si elle avait le poids d'un roseau et, d'un geste précis et froid, trancha net le cou de Lolya. La tête de la jeune noire, les yeux exorbités, tomba dans la poussière. À la stupéfaction de tous, Baal rendit l'arme au chevalier et sourit de ses parfaites dents blanches.

Les trois archers le pointèrent aussitôt de leurs flèches, mais Mordoc leur indiqua de baisser leurs armes.

— Ce n'est pas ainsi que nous sauverons notre peau, chuchota-t-il à Nellas.

— Merci monsieur, dit Baal en déposant l'épée dans les mains d'Alior.

— Euh, de rien…

— Et ce thé ? insista Baal. Ça vient ? J'ai vraiment hâte d'y tremper mes lèvres.

Comme si tout était normal, la troupe prépara un feu et fit chauffer l'eau. Médousa, incapable de cacher son bouleversement, fit de son mieux pour retenir ses larmes, mais elle n'y parvint que difficilement. Béorf, quant à lui, bouillait de colère. Se rappelant la puissance qu'un démon pouvait avoir, il réussit à calmer son envie de le tuer, mais n'en demeura pas moins enragé. Alior, quant à lui, se contenta d'observer de loin, sans prendre part à la dégustation.

Rapidement, la boisson fumante fut prête à consommer. C'est Mordoc qui servit Baal en lui présentant quelques biscuits secs.

— Hummmm, s'exclama Baal. Elle est bien chaude, cette boisson… et quel goût ! C'est tellement bon, puis ces biscuits, pas du tout humides ! Je les aime beaucoup… Vous êtes ici pour affaires, n'est-ce pas ? J'adore les affaires ! Mais je crois vous l'avoir dit, n'est-ce pas ?

— Que me dites-vous, mais que me dites-vous ! rigola Mordoc qui jouait bien la comédie. Voilà que je suis au fin fond des enfers et que je rencontre un collègue ! Le monde est petit ! Je vous le dis, il est si petit !

— Collègue, mais vous me flattez ! Je ne suis pas encore un très bon homme d'affaires, j'en suis à mes débuts. Et que faites-vous comme négocia-tions ? l'interrogea Baal en buvant une gorgée de son thé.

— Je fais dans l'import-export, inventa Mor-doc inspiré. Les armes... ma spécialité.

— Oh, je vois ! fit Baal impressionné. Et c'est payant, n'est-ce pas ?

— Une fortune, mon ami, je me fais une for-tune ! Les êtres humains sont toujours en guerre et ils ont constamment besoin de nouvelles armes, magiques de préférence, alors je dois toujours aller de plus en plus loin pour les trouver. Cette fois-ci, j'essaye les enfers en me disant que, peut-être, j'y trouverai un client intéressant. Qui sait sur qui on peut tomber ? Peut-être croiserai-je un grand sou-verain des enfers en manque de thé, par exemple ?

Habile, Mordoc fit un clin d''il à Baal.

Flatté d'avoir été reconnu, Baal esquissa un petit sourire timide.

— En effet, vous... vous saviez qui j'étais... ma réputation, n'est-ce pas ?

— Votre réputation dépasse toutes les fron-tières, mon cher ! le flatta Mordoc. D'ailleurs ne dit-on pas de Baal qu'il n'est jamais en retard, car... sa réputation le précède !

— Quel humour ! Mais quel trait d'esprit ! s'enflamma Baal. Vous avez la finesse d'esprit nécessaire à votre profession ! Moi, c'est un peu l'art de la conversation qui me manque. Je ne suis pas assez patient.

— Encore un peu de thé ? C'est bien le meilleur que nous ayons, mais si vous désirez essayer une autre saveur ! Nous avons bien aussi de la bergamote et...

Mordoc tourna la tête vers Béorf qui, juste à côté de la charrette de provisions, lui présentait les produits qu'il avait emportés pour le voyage.

— ...et aussi des menthes poivrées... puis, laissez-moi penser, j'ai quelques bonnes camomilles et un peu de chocolat...

— Vous avez du chocolat ? demanda nerveusement Baal. Mais c'est que j'adore le chocolat ! Ici, en enfer, il n'y a rien de toutes ces bonnes choses... même un grand souverain comme moi doit se priver de telles délicatesses... c'est frustrant à la fin !

— Dans ce cas, mon ami, je vous offre un bout de chocolat pour accompagner votre troisième tasse de thé ? proposa Mordoc.

— Oh oui… s'il vous plaît... oui, du chocolat.

Avec délectation, Baal déposa un petit carré de chocolat sur sa langue. Comme s'il s'agissait d'une drogue, ses yeux se révulsèrent et il poussa un gémissement intense de plaisir. Demeurant interdit quelques secondes, il finit par se ressaisir et avaler d'un coup sa tasse de thé.

— Et si nous faisions des affaires ? demanda-t-il à Mordoc.

— En fait, je ne sais pas…, fit Mordoc comme s'il était pris par surprise. Je ne croyais pas que ces produits pourraient vous intéresser.

— Ils m'intéressent, oui...

— Bon, dans ce cas, pourquoi pas ? Voyez mon épée ! Si vous en aviez d'autres comme celle-là, eh bien...

Mordoc lui présenta la Pomme de Sang.

— Je peux vous avoir beaucoup mieux que cela ! s'amusa Baal. Cette épée est magnifique, mais elle n'est pas vraiment fantastique. De quel démon vient-elle ?

— Malheureusement, je dois taire le nom de mes clients, répondit Mordoc, une simple question de respect, vous comprenez ? Mais je dois dire qu'elle m'a coûté un morceau entier de chocolat !

— Eh bien ! pouffa Baal, vous vous êtes bien fait avoir. Faites des affaires avec moi et je ferai beaucoup mieux !

— Votre honorabilité est blanche comme neige, cher Baal. Vous êtes sympathique et persuasif... Comment un honnête marchand comme moi pourrait-il vous résister !

— Montrez-moi tout ce que vous avez et je vous fais une offre ! proposa Baal.

— Avec plaisir, lui répondit Mordoc en l'invitant à s'approcher de la charrette de victuailles.

Mécontent de voir négocier ses provisions de la sorte, Béorf hésita quelques secondes avant de retirer la bâche qui recouvrait ses provisions. Devant le spectacle d'une telle quantité de nourriture, Baal poussa un hurlement de surprise.

— Mais c'est... c'est un véritable trésor qui vous avez là ! Il y a... mais... il y a...

Il y avait du jambon fin salé et des poissons séchés à profusion, aussi de la menthe toujours fraîche et des pains de froment. De la bière, du vin et de l'hydromel, quelques meules, des fromages au lait de chèvre et d'autres à pâte ferme brossés à la bière ou vieillis en grotte. Des fromages affinés au foin, onctueux et bien odorants et des saucissons de toutes les tailles.

— Je n'en crois pas mes yeux ! lança Baal toujours aussi impressionné. Mais... c'est bien du... oh ! du...

Trois boîtes de chocolats noirs et des fruits confits, douze gâteaux aux amandes et une poche entière d'abricots séchés. Des tartes aussi, bien sucrées, et un baril de miel. Pêle-mêle, des filets d'anguille et des algues de mer, du chou, des carottes et beaucoup de patates.

— De la liqueur à l'anis et des piments séchés..., murmura Baal comme s'il était dans un rêve. Je crois que c'est le plus beau jour de ma vie.

— Quelque chose vous intéresse ? lui demanda Mordoc d'un ton faussement désintéressé.

— Je prends tout ! fit le démon. Je prends la cargaison complète !

— Ouf..., hésita Mordoc. Je ne crois pas que...

— J'offre une cuirasse d'invincibilité au chevalier, l'interrompit Baal. Une armure rouge comme ses dents qui le protégera de tous les coups. Aussi, une cape d'invisibilité pour la gorgone et trois arcs d'ivoire d'une précision absolue pour les archers et pour le béorite, j'ai une hache...

— J'ai déjà Gungnir! le coupa Béorf en dévoilant la lance d'Odin.

— Très bien, mais une ceinture de force t'intéresse? Tu es déjà costaud, mais avec ça, tu briseras de la pierre entre tes doigts. Pour vous, Mordoc, trois sacs de diamants taillés aussi gros que des œufs de cailles. Marché conclu?

— Non! répondit sèchement la gorgone. Vous avez tranché la tête de mon amie et...

— Très bien, répondit aussitôt Baal. Je la ramène à la vie, la débarrasse du démon parasite et lui offre, en plus, une dague possédée par un démon serviteur. Cela amplifiera ses pouvoirs. Ça vous va?

— Et comment survivrons-nous sans provisions? demanda Béorf contrarié d'échanger ainsi sa nourriture.

— Je vous donnerai chacun trois gourdes d'eau de la fontaine de jouvence, répondit le petit démon. C'est tout ce dont vous aurez besoin pour traverser les enfers et rentrer chez vous... Il s'agit d'une eau extraordinaire qui comble la faim et guérit toutes les afflictions! Marché conclu?

— Ajoutez-y un plan pour retrouver le monde des vivants et nous avons une entente! fit Mordoc.

— Qu'il en soit ainsi!, fit Baal d'un ton réjoui.

Baal claqua des doigts. Les armures et les armes magiques émergèrent du sol comme s'il s'agissait de bouchons de liège flottant au-dessus de la mer.

L'armure rouge s'ajustait à toutes les tailles et dut s'étirer beaucoup pour couvrir le bedon d'Alior. Même chose pour la ceinture de force qui s'ajusta d'elle-même à la taille de Béorf. La cape, les arcs ainsi que les sacs de diamants glissèrent aussi dans les mains de leurs nouveaux propriétaires.

— Voilà les gourdes ! fit Baal en les distribuant. Il ne me reste plus que la fille noire...

D'un mouvement de bras, il ordonna à Lolya de se lever. Aussitôt, la nécromancienne bondit sur ses pieds.

— Tu as assez souffert, ma petite, murmura-t-il, je te débarrasse de mon parasite et te rends ton âme. Je ne sais pas comment ce misérable démon a pu te faire autant de mal, mais il restera ici, avec moi, jusqu'à la fin des temps. En contrepartie, je t'offre ma dague personnelle enchantée par une de mes larmes, elle apportera à ta magie de grands bénéfices. Tu as encore tant de choses à apprendre...

Lolya ouvrit les yeux et prit une grande bouffée d'air.

— Il y a longtemps que je ne me suis pas sentie aussi bien, dit-elle en souriant à ses amis. C'est comme si on m'avait retiré un casque de plomb ! Je suis légère... si légère. Merci pour la dague.

— Il arrive parfois que je reçoive des élèves pour les instruire dans les voies magiques des ténèbres et de l'angoisse... Si tu le désires, je t'y invite.

— J'aurai le plaisir de recevoir votre enseignement, répondit Lolya.

— Je te tiendrai informée dans ce cas, répondit Baal tout souriant.

Baal saisit une carte dans sa ceinture et la tendit ensuite à Mordoc.

— Voilà pour votre retour... Je vous quitte maintenant.

— Merci, nous avons fait d'excellentes affaires ! le remercia Mordoc en une profonde révérence.

— Oui... en effet, répondit Baal en empoignant les manchons de la charrette. Ce fut une excellente journée.

Puis, lentement, le petit démon s'éloigna du groupe en emportant avec lui sa précieuse marchandise. Lolya, Médousa et Béorf tombèrent dans les bras l'un de l'autre. L'aventure avait connu un dénouement inattendu, mais combien libérateur ! Enfin, Lolya était redevenue la jeune fille que Béorf et Médousa avaient connue. Ils avaient enfin récupéré l'amie qu'ils croyaient perdue.

— On fait parfois de surprenantes rencontres, n'est-ce pas ? lança Mordoc à ses compagnons.

— Ouvre plutôt la carte ! répondit Alior qui rutilait dans sa nouvelle armure. Voyons quel merdier il nous faudra traverser pour revenir chez nous.

Mordoc déroula la carte. Les dessins, en mouvement, bougeaient sans cesse et s'adaptaient aux bouleversements présents dans les enfers. Les différents niveaux, autrefois distincts les uns des autres, se juxtaposaient maintenant dans un chaos complet. Les grands fleuves, comme le Styx et l'Achéron, partageaient par moment le même lit, alors que le Phlégéthon, tout de flammes constitué, s'amusait à percer des lacs de lave en plein c'ur du monde glacé du grand démon Orobas.

— Aussi bien dire que nous ne sortirons pas d'ici facilement! lança Peck à l'Eau Claire avec une voix grave.

— Pardon? fit le faune en se retournant. Peck, nous traversons une petite vallée et je suis certain que nous réussirons cette épreuve avec facilité.

— Oh! Hou là là! fit Peck en s'ébrouant. Je n'étais plus là... enfin, j'étais dans les enfers... Vous connaissez un type qui s'appelle Baal? En fait, c'est plutôt un démon, mais qui ne semble pas très méchant. En tout cas, il aime bien manger, il est raffiné et, tout comme vous, il adore le thé.

— Raconte-moi cette vision, Peck.

Tout en marchant, le demi-korrigan lui raconta en détail les images qu'il venait de voir défiler devant ses yeux. À la fin de son récit, le faune parut satisfait.

— Tu es maintenant en contact avec les PROTECTEURS du Sanctuaire des Braves! s'exclama-t-il. Décidément, tu as beaucoup de talent.

— Les protecteurs?

— Oui, un sanctuaire de l'importance de celui que tu construiras bientôt doit nécessairement être protégé. Béorf le béorite, Médousa la gorgone et Lolya la nécromancienne sont les amis d'Amos, le SOUFFLE DE VIE, ses gardes du corps si tu préfères. Alior des chevaliers de Berrion, Mordoc des aventuriers de Bratel-la-Grande et Nellas, Bois d'Orme et If de Brise des forestiers de Tarkasis deviendront quant à eux les premiers PROTEC-TEURS du sanctuaire.

— Et moi, je suis en contact avec tout ce beau monde, c'est cela? demanda Peck qui commençait à comprendre le sens de ses visions et de ses rêves.

— Oui, cher Peck à l'Eau Claire...

— Et pourquoi je rêve à Berrion et aux problèmes que vivent les habitants de cette cité?

— Peut-être est-ce à toi de le découvrir?

Chapitre 5
L'abandon

Près du feu de camp qui crépitait, Peck à l'Eau Claire regardait les étoiles. Le faune ronflait depuis bientôt une heure, mais Peck ne trouvait pas le sommeil. Angoissé et inconfortable avec sa prétendue mission de bâtisseur, il observait la voûte céleste en se questionnant sur le sens de sa vie. L'existence avait-elle une signification? Depuis sa naissance, Peck avait essayé de trouver sa place dans le monde, mais n'y était jamais arrivé. Il avait pourtant tout fait pour tenter de se faire des amis, de s'intégrer aux korrigans, de se plier aux règles strictes de la vie chez les fées, sans succès. Au fil du temps, il en était venu à croire que ce monde n'était pas fait pour lui et qu'il valait mieux vivre en ermite, dans la solitude.

Peck avait toujours été différent des autres et cette altérité l'avait marginalisé. Pourtant, depuis le début du voyage, il commençait à croire que ce périple était une bonne chose pour lui. Son compagnon, l'énigmatique faune, était remarquablement intelligent et sage. Peck appréciait énormément sa présence.

— Je crois bien que j'étais prisonnier de ma façon de concevoir la vie, se dit-il en se remémorant les longues conversations des derniers jours. J'ai peut-être une place dans ce monde après tout. J'ai peut-être même un grand rôle à jouer.

— L'esprit nous tend parfois des pièges, fit le Faune en tapotant son oreiller. Tout commence et se termine par là ! L'esprit... c'est la clé !

— Je ne voulais pas vous réveiller, s'excusa Peck, je suis désolé... je me parlais...

— Il est plus facile d'accepter la souffrance et de vivre avec que..., répondit le faune dans un bâillement... que de lui faire face et tenter de la vaincre. La majorité des êtres préfèrent ignorer leurs conflits et ne cherchent pas à les résoudre ! Pourquoi ? Parce que le changement fait peur.

— Oui, je vois... pour certains êtres, il vaut mieux maintenir ce lot de souffrance plutôt que de plonger vers l'inconnu, même si cet inconnu est une promesse de renouveau. Je sais pourquoi je vois Amos Daragon en rêve maintenant, c'est parce qu'il est, comme moi, à cette étape de sa souffrance. En ce moment, lui aussi préfère vivre seul plutôt que d'affronter l'avenir et de se mettre en marche. Je crois que nous sommes liés...

Le faune ajusta sa couverture et, dans un ultime bâillement, referma les yeux.

— C'est bien, cher Peck, très bien... tu commences à comprendre bien des choses... c'est excellent. En effet, Amos et toi êtes liés... Bonne nuit.

— Oui, oui... je comprends de plus en plus ! s'excita le demi-korrigan. Face aux problèmes de la vie, les êtres faibles se réfugient dans les lamentations, alors que les braves, les véritables braves, trouvent un sens à leurs malheurs ! Ils remettent de l'ordre dans le chaos et transforment les drames en bonheurs.

— Oui, belle réflexion, c'est très bien. Comme je t'ai déjà dit, bonne nuit !

— La tragédie a toujours un sens, cependant il demeure parfois difficile à trouver ! continua Peck emballé. Dans à la vie, il ne faut pas s'emprisonner dans une armure protectrice de métal, mais plutôt demeurer souple afin de bien voir venir les coups et de les éviter ! Hou là là, je comprends... c'est pour cette raison que les grands maîtres ne portent que des vêtements souples ! C'est en fait une manifestation concrète de...

— Peck, il est tard..., grogna le faune. Ferme-la et couche-toi !

— Ce qui compte, c'est l'ici et le maintenant, car ils sont le résultat du passé et le point de départ du futur ! poursuivit Peck dont le cerveau bouillait. Oui, je vois ! Enfin, je comprends le sens de la vie ! Pour sauver la forteresse, il faudra que Junos lâche prise et qu'il abandonne Amos Daragon à son sort ! Hou là là ! HOU LÀ LÀ !

— Peck ! Tu délires, là !

Le demi-korrigan avait les yeux fixés sur les flammes dansantes du feu de camp. De toute évidence, son esprit avait une fois de plus pris la clé des champs, car dans le crépitement et les braises, c'est Berrion qu'il voyait maintenant ; une ville qui se consumait sous la révolte, une cité à feu et à sang !

— Ils sont entrés dans le château ! hurla la voix d'un domestique en détresse. Ils sont dans le château ! Non, ne me faites pas de mal, NOOOOON !

Accompagné de ses meilleurs chevaliers, Junos fonça directement vers les cuisines où ils tombèrent sur le corps ensanglanté du domestique qui avait donné l'alerte. Junos se précipita sur le blessé et tâta son pouls.

— Il est mort..., dit-il en serrant les dents. Vite, il faut maîtriser ces barbares avant qu'ils tuent tous nos gens !

Épée en main, les chevaliers de Berrion foncèrent tête baissée dans l'étroit passage menant à la réserve de nourriture. Dès qu'ils franchirent la porte, ils surprirent trois barbares en train d'empoisonner les vivres. Aussitôt, les hommes sauvages abandonnèrent leur funeste tâche et, dégainant leurs dagues, foncèrent sur les chevaliers en hurlant. Les barbares eurent à peine le temps de comprendre qu'ils ne sortiraient pas vivants de l'entrepôt que leurs corps, décapités ou transpercés, retombèrent au sol, sans vie.

— Trois de moins ! fit Junos en essuyant le sang de son épée sur ses vêtements de combat. Jetez ce qui a été empoisonné et préservez ce qui peut l'être encore.

— Nous pourrions tenter de faire passer en douce la nourriture empoisonnée aux barbares, ainsi nous aurons notre revanche ! proposa un des chevaliers.

— Oui, excellent ! s'exclama Junos. Montez un petit scénario pour qu'ils croient nous l'avoir volé. Qui vit par le poison périra par le poison ! Je retourne dans la cour intérieure du château, vous m'y rejoindrez ensuite.

Junos regagna rapidement son siège de commandement où l'attendaient ses principaux conseillers.

— Messieurs, rapport de la situation ! lança-t-il vigoureusement.

— Les barbares ont pris possession de Berrion ! commença par dire un de ses ministres. Avec l'aide de la population, ils se sont emparés des positions clés sur les murs d'enceinte et ils font tourner les forges à plein rendement. Grâce à l'aimable collaboration de nos forgerons, les barbares se fabriquent en ce moment même des armes et des armures de bonne qualité. Comme vous le voyez, Junos, il n'y a rien de bon de ce côté.

— Des nouvelles du bois de Tarkasis ? demanda le roi. Gwenfadrille peut-elle nous venir en aide ?

— Il est trop tard pour recevoir son aide..., fit l'ambassadeur auprès des fées. La grande Gwenfadrille nous informe que sa magie ne sera pas assez forte pour créer une brèche temporelle et retarder le temps autour du château. Elle aurait pu faire quelque chose dans ce sens, mais pas avec un si court délai.

— Aux dernières nouvelles, continua un des espions de Junos, les barbares vont nous encercler en espérant que nous mourrions de faim. De plus, une escouade devrait tenter de pénétrer les réserves de nourriture afin d'empoisonner nos vivres!

— Ça! s'exclama Junos. C'est déjà réglé, mais heureusement ils n'ont pas fait trop de dommages. Nous les avons interceptés à temps.

Le silence retentit autour de la table de commandement. Chacun attendait les ordres du souverain sans pour autant avoir de solution à lui proposer. Dépassés par les événements, ils ne savaient plus où donner de la tête. Berrion était prise, les effectifs de Junos se battaient en sous-nombre et le royaume allait bientôt tomber.

— Je vous trouve bien peu bavards! lança Junos avec une pointe d'agacement dans la voix. Alors, que faisons-nous?

Une fois de plus, un lourd silence tomba.

— Alors, je vais vous dire ce que nous allons faire, moi! Il n'est pas question que cette ville tombe dans les mains de ces barbares sans foi ni loi. J'annule tout de suite la mission de récupération d'Amos Daragon et je rappelle immédiatement les chevaliers de Berrion, les forestiers de Tarka-sis ainsi que les aventuriers de Bratel-la-Grande! Aussi, j'ordonne au dragon Maelström de venir en aide à son roi.

— Mais vous... vous abandonnez les recherches du prince? s'étonna un des conseillers. Je ne crois pas que la reine soit très chaude à l'idée de surseoir aux recherches de son fils.

— L'idée vient d'elle, mon ami, répondit Junos. C'est moi qui me suis obstiné trop longtemps et qui ai laissé les choses empirer ici ! Il y a longtemps que j'aurais dû l'écouter... Frilla a une telle confiance en son fils. Bref, qu'elle ait raison ou non, Berrion ne peut pas tomber ainsi aux mains de ses ennemis. Rappelez les flagolfières ! Que toutes nos troupes quittent la porte des enfers !

— Mais nos rapports nous disent qu'il y a une équipe composée, entre autres, de votre ami Alior, de Béorf et de Médousa, qui auraient passé la porte et descendraient actuellement dans les enfers. Allons-nous les abandonner à leur sort ? Et s'ils revenaient, poursuivis par des démons ? Il leur faudrait une armée pour les protéger, non ?

— Si je ne fais rien, mon ami, nous perdrons Berrion, soupira Junos, et notre armée n'aura plus de capitale, plus de souverain et plus de direction. Mon devoir est de sauver notre ville avant de sauver mes amis. C'est un choix difficile et c'est précisément celui que je fais, devant vous, aujourd'hui. Préparez les pigeons voyageurs !

Le message fut compris et chacun quitta la table le c'ur serré.

Chapitre 6

La visite

Amos sommeillait dans sa petite chambre lorsqu'on frappa soudainement à la porte.

— Vous avez de la visite qui vous attend sur la terrasse des pommiers de glace, lui lança une voix inconnue.

— C'est une erreur, répondit Amos, personne ne sait que je suis ici.

— C'est un dénommé Urban, Urban Daragon, qui vous demande. Je peux lui dire de partir ?

Amos bondit de son lit et se précipita vers la porte. Son sang n'avait fait qu'un tour.

— Qui dites-vous ? Répétez le nom que vous venez de prononcer ?

Devant lui, un druide à la tête de vache haussa les épaules et posa les yeux sur un bout de papyrus.

— Lisez comme moi..., répondit-il. C'est Urban Daragon qui vous demande ! C'est bien ce qui est écrit, non ?

— C'est une blague ? Urban est mon père et celui-ci est mort, trancha Amos. De toute évidence, on se moque de moi ici !

— Dans ce cas, cette personne ne doit pas être votre père ! Qu'est-ce que j'en sais, moi ? Alors, vous y allez ou pas à ce rendez-vous, parce que, sans vouloir vous blesser, j'ai d'autres messages à porter et...

— Très bien, j'y vais! Je crois savoir qui est à l'origine de cette supercherie!

D'un pas vif et déterminé, Amos traversa les quelques corridors le rapprochant de la terrasse des pommiers de glace. Quel ne fut pas son étonnement d'y découvrir Urban Daragon, son père, maladroitement assis sur une petite chaise de bois inconfortable! Lorsqu'il vit Amos, l'homme se leva, essuya une larme puis tendit les bras vers son fils.

— Mais... mais tu es un homme maintenant! fit-il en déglutissant. Je peux te prendre dans mes bras? C'est encore approprié à ton âge?

Sans même penser qu'il pouvait s'agir d'un canular, Amos bondit dans les bras de son père et le serra contre lui de toutes ses forces. Les larmes aux yeux et le souffle coupé par l'émotion, le père et le fils demeurèrent blottis l'un contre l'autre pendant de longues minutes.

— Comment va ta mère? lui demanda Urban dès qu'ils eurent repris leurs émotions.

— Frilla? fit Amos un peu mal à l'aise. Elle va bien... elle... euh... elle est remariée avec Junos... le souverain du royaume des Quinze.

— Ah oui! sursauta Urban. Je savais qu'elle s'était remariée, mais avec lui, elle a touché le gros lot! Ça veut dire que... mais que tu es prince, non?

— En quelque sorte, oui... et ça ne te dérange pas qu'elle... qu'elle soit heureuse avec un autre que toi?

— Mais non, mon garçon! rigola Urban. J'aimais ta mère et je l'aime encore, c'est pour cette raison que je désire qu'elle soit heureuse. Les morts ne sont pas jaloux des vivants... J'ai fait un magnifique bout de chemin avec elle et je n'en garde que de merveilleux souvenirs. Embrasse-la bien pour moi lorsque tu la reverras et tu ordonneras à Junos de bien continuer à s'occuper d'elle, sinon mon spectre viendra lui chatouiller les orteils toutes les nuits.

— Tant mieux..., soupira Amos de soulagement. Je ne voulais pas te blesser...

— Toujours aussi altruiste, mon garçon! C'est bien, c'est très bien...

Un bref instant de malaise s'immisça entre le père et le fils. Amos commença à douter qu'il s'agisse bien de son père. Urban semblait mal à l'aise, incertain et troublé.

— Père? demanda-t-il, ça va?

— Oui, mon garçon, je vais bien..., répondit-il. En retrouvant mon corps, je retrouve aussi des souvenirs et des sensations qui lui étaient rattachés et... et je t'avoue que j'en suis troublé. Regarde cette cicatrice sur mon pouce, tu la vois? Eh bien, je me la suis faite en fabriquant ton berceau! Un vilain coup de rabot que j'avais oublié et qui, maintenant, me... me donne envie de revivre. Et cette brûlure sur mon avant-bras! Celle-là, je me la suis faite lorsque j'ai vu ta mère pour la première fois.

J'avais une torche à la main, puis... elle est passée devant moi. J'en ai perdu tous mes moyens et me suis échappé la torche sur le bras. Un magnifique accident qui m'a, fort heureusement, laissé cette trace et ce souvenir.

— Mais comment se fait-il que tu sois ici, avec moi ?

— Je ne sais pas, mon garçon, je n'ai pas de souvenirs de cet événement, expliqua Urban. Je flottais dans une lumière blanche et, d'un coup, je me suis retrouvé ici, sur ce banc. Curieusement, je savais que je te verrais et que je ne devais pas bouger avant que tu arrives... C'est tout.

— C'est bizarre, non ? fit Amos un peu troublé.

— Peu m'importe la raison !, lui répondit Urban. Profitons-en et raconte-moi tes aventures. J'ai su que tu étais devenu un porteur de masques et que tu avais réussi à rétablir l'équilibre du monde, c'est bien ça ?

Content que son père ait entendu parler de ses exploits, Amos lui raconta ses nombreuses aventures et parla aussi longuement de ses amis, Béorf, Lolya et Médousa. Pendant des heures, il fit le récit de leur rencontre et des endroits fantastiques qu'ils avaient visités. Intarissable, Amos raconta aussi la perte stupide de ses masques aux mains des elfes noirs et l'assassinat d'Hermine. Attentif, son père écouta avec candeur les troubles intérieurs de son fils, son mal de l'âme et, finalement, le récit de son envie de mourir.

— Bien... quelle existence épuisante pour un jeune homme ! s'étonna Urban. Tu as vécu une dizaine de vies en quelques années seulement et je crois que ta détresse est justifiée. Si tu le désires, je t'amène avec moi et nous quitterons ensemble ce monde. Tu as le droit de te reposer.

Amos sursauta.

Pour la première fois depuis la perte de ses masques, quelqu'un semblait le comprendre et lui accorder raison. Il n'en croyait pas ses oreilles !

— Je crois, Amos, que c'est précisément pour cette raison que je suis ici, fit Urban. Je suis venu te chercher pour te faire passer du monde des mortels à celui des esprits. Tu as besoin d'un guide vers cette nouvelle aventure et c'est à moi que revient cette tâche. Sinon, je ne vois pas pourquoi je t'apparaîtrais, qu'en penses-tu ?

— Alors, je... je suis mort ?

— Pas encore, répondit Urban. Je crois que tu es à la croisée des chemins et la décision de vivre ou de mourir t'appartient. Avec moi, tu as fait le point sur ta vie et tu en as conclu qu'elle avait été complète, épanouissante et riche. Je ne vois pas ce que tu désires de plus ! Il est temps de partir, voilà tout !

— Non, mais... je ne peux pas abandonner mes amis, ma mission !

— Quelle mission, mon fils ? demanda Urban. Tu viens toi-même de m'expliquer qu'elle était terminée. Tu t'es plaint de ne pas avoir eu le choix dans la vie, eh bien, aujourd'hui tu l'as ! Tu n'as pas demandé à devenir porteur de masques, non plus à rétablir l'équilibre du monde, encore moins de vivre sous la constante menace des dieux, pas non plus de perdre tes pouvoirs et tes amis...

— Mais... mais je n'ai jamais dit cela! tressaillit Amos. Enfin, oui, mais pas à toi! J'ai raconté tout cela à Sig Dreuf! C'est au nagas que je me suis plaint! Comment peux-tu savoir ce que je lui ai dit?

Urban sourit. Soudainement, il avait la figure d'un homme-serpent.

À ce moment, Amos s'éveilla en sursaut. Cette rencontre avec Urban n'avait été qu'un rêve, car au-dessus de lui, Sig Dreuf lui avait appliqué une lame sous la gorge et menaçait de le tuer.

— C'est la guérison... ssssss... ou la mort, mon bonhomme! persifla le nagas. Tu as maintenant le choix! Vivre et retrouver tes amis ou mourir et... ssssss... accompagner ton père! Tu te plaignais de n'avoir rien choisi dans ta vie, eh bien, c'est aujourd'hui l'heure des... ssssss... des choix! Tu voulais revoir ton père, c'est fait. J'ai rempli ma part du marché. Maintenant, tu dois... ssssss... me dire si tu considères vraiment remplir la tienne.

— Vous m'avez dupé! protesta Amos. Vous avez manipulé mes rêves! Ce n'était pas véritablement mon père!

— Je t'ai promis de... ssssss... de te le faire rencontrer, rien de plus, et c'est ce que j'ai fait! répondit le nagas en enfonçant un peu plus son arme dans le cou d'Amos. Sois certain d'une chose, si ton père était... ssssss... un rêve, ce couteau ne l'est pas et plus nous débattons, plus il s'enfonce dans ta gorge! Bientôt, tu n'auras même plus à prendre cette décision, car je l'aurai... ssssss... prise à ta place. Tu veux guérir, Amos Daragon, ou veux-tu mourir ? Tu voulais choisir, alors vas-y !

— Lâchez-moi ! J'ai été ensorcelé par Béhémoth et Léviathan et je ne peux pas mourir !

— Comment feras-tu pour vivre sans ta tête, alors ? Je l'enterrerai ici, sur l'île, et ton corps... ssssss... ailleurs. Qu'en dis-tu ? Non, plus d'attente pour toi mon garçon, c'est maintenant ! Tout de suite, ssssss ! TU VEUX MOURIR OU TU VEUX VIVRE ?

Face au dilemme, Amos se rappela ce que lui avait dit Sartigan lors d'une séance de méditation : « L'existence n'est facile pour personne, Amos, rappelle-toi que la véritable bravoure consiste à la vivre pleinement et non pas à la quitter en cours de route. Toutes les épreuves se surmontent, tous les problèmes trouvent un jour leur solution, la vie est plus forte que la mort ! »

— Je veux vivre..., murmura Amos. Je veux vivre, j'en suis maintenant assuré.

Lentement, le nagas rangea son arme.

— C'est une excellente décision, dit Peck à l'Eau Claire à haute voix tout en marchant derrière le faune.

— Merci, fit le sage. À la croisée des chemins, j'ai hésité un peu, mais je vois bien, tout comme toi, que j'ai pris la bonne route. Elle est beaucoup moins escarpée, n'est-ce pas ?

— Pardon ? répondit Peck émergeant de sa rêverie.

— Tu me disais que j'avais pris la bonne décision, répéta le faune, c'est au sujet de notre trajet, n'est-ce pas?

— Non, c'est au sujet de la mort! Comme la vie est plus forte que la mort, vivre m'apparaît, moi aussi, comme étant la bonne décision!

— Peck! Tu délires encore?

— Non, je ne délire pas... hou là là... oui, peut-être un peu, hou là là!

Chapitre 7
Rouges sont les bonnets

— Réveille-toi, mon ami et ne fais surtout pas de bruit, chuchota le faune à l'oreille de Peck. Tu sais te battre ?

— Hou là là..., angoissa Peck, je ne sais même pas battre des œufs correctement. Même que, parfois, ce sont eux qui gagnent, hou là là. Ça répond à votre question ?

— Tu n'as jamais manié une arme ou un bâton ? demanda le faune. Tu sais au moins te défendre avec une dague ?

— Tout ce que je sais manier, c'est la cuillère à soupe et encore là, pas très bien, hou là là...

Quelques heures plus tôt, les deux voyageurs s'étaient endormis, comme à leur habitude, autour du feu de camp. Mais voilà que des craquements étranges autour du bivouac avaient réveillé le faune. Selon son expérience, il ne s'agissait pas de petites bêtes nocturnes comme un putois ou un porc-épic, mais bien quelque chose de plus gros et qui marchait debout, à deux pattes. À ces premiers bruits, s'en étaient ajoutés d'autres, semblables et tout aussi suspects.

— Écoute-moi, Peck, écoute-moi bien... Nous allons bientôt subir une attaque de créatures dont j'ignore aussi bien la forme que la force.

— Hou là là... je n'aime pas ça, je n'aime pas ça du tout !

— Tu demeures près de moi et tout ira bien, d'accord ?

— Oui, je ne bougerai pas, promit Peck, d'ailleurs je ne bouge déjà plus, j'ai le souffle coupé par la peur et je ne sens plus mes jambes.

— Ce sera dans quelques secondes, je les sens... ils sont nombreux... attention... trois, deux, un... les voilà !

Dès que le faune eut terminé sa phrase, cinq bonnets-rouges se dévoilèrent et bondirent sur lui en hurlant. D'une dextérité à faire pâlir le plus habile des singes, le faune saisit son bâton, puis s'élança sur eux. Usant de son arme aussi bien comme d'un bouclier que d'une épée, le faune para trois attaques et fit avorter les deux autres. À son tour, il faucha deux bonnets-rouges, en assomma un tout en repoussant vigoureusement les deux derniers.

Peck, assis par terre près des braises encore rougeoyantes eut l'idée de jeter quelques branches sèches dans le feu. Aussitôt, elles s'enflammèrent dévoilant la scène du combat. C'est à ce moment que Peck vit pour la première fois de sa vie les corps tordus et les visages défigurés des bonnets-rouges. Ressemblant à des vieillards à la chevelure clairsemée, ces monstres n'avaient que quatre doigts qui faisaient penser à des serres d'oiseaux. Édentés, galeux et tous coiffés d'un bonnet imbibé de sang caillé, ils étaient une bonne quinzaine qui s'excitaient autour du camp.

— Cours, Peck! hurla soudainement le faune en défonçant le crâne d'un ennemi. Cours et cache-toi! Je te retrouverai!

— HOU LÀ! HOU LÀ LÀ!

Aussitôt, le demi-korrigan bondit sur ses pieds et décampa vers le sommet des montagnes. Bien que Peck n'eût que peu de talent pour le combat, il avait certes un don pour la course. Ses aptitudes de korrigan, jusque-là peu développées, s'éveillèrent d'un coup. Tel un lièvre, Peck bondit d'un rocher à un autre en effectuant deux culbutes et trois saltos arrière. Un véritable athlète!

Une bonne dizaine de bonnets-rouges excités par la perspective d'une agréable chasse nocturne se lancèrent à sa poursuite en poussant des cris de bourricots hystériques. Ces terribles braiments motivèrent Peck en l'apeurant encore un peu plus.

— Hou là là..., murmura-t-il en courant à pleine vitesse. Ce n'est pas bon... ce n'est pas bon pour moi, pour personne... hou là là, je savais que j'aurais dû demeurer chez moi... tout ce trajet pour rien, pour mourir ici, dans la montagne... je ne suis pas taillé pour l'aventure, encore moins pour la bataille... c'est la fin, hou là là!

Derrière lui, Peck pouvait entendre les cris des bonnets-rouges qui le poursuivaient.

— Hou là là, mais ils sont derrière moi, ceux-là! Hou là là! Vite Peck, avance ta carcasse, sinon tu serviras de dîner à ces horreurs.

C'est alors que, d'un coup, Peck eut une vision qui le chavira. L'"il gigantesque d'un dragon s'imposa à son esprit.

— Hou là là ! Mais non, non, non ! fit-il en trébuchant. Ce n'est pas le temps... ce n'est vraiment pas le temps ! Pense à autre chose, Peck ! Ce n'est pas le temps de tomber dans la rêvasserie ! Pas le temps non plus pour tes fantasmes et tes visions !

L'"il du dragon s'imposa encore à son esprit. Plus Peck tentait de chasser cette image afin de continuer sa course, plus elle le hantait en le ralentissant.

— Ils avancent... ils sont derrière moi, je les entends... je dois courir plus vite... vite, Peck ! Plus vite, Peck !

Cette fois, c'est la gueule du dragon que le demi-korrigan imagina. Une solide mâchoire remplie de dents effilées ainsi que des lèvres charnues d'où suintait une salive sulfurique.

— Non, non, pas ça... pas encore une vision ! lança Peck, découragé, en tombant face contre terre. Je n'y arriverai jamais... je vais mourir... hou là là... je suis mort.

Derrière Peck, les bonnets-rouges armés de leurs épées rouillées et de leurs massues grossières, s'arrêtèrent pour pousser un cri victorieux. Devant eux, leur proie agenouillée était tombée d'épuisement et bientôt ils lui trancheraient la tête afin d'en faire un trophée de chasse.

C'est alors que Peck, n'ayant plus rien à perdre, se laissa envahir par sa vision.

— Ils ne peuvent pas me tuer, pensa-t-il alors, car je suis un dragon! Je suis Maelström et personne ne peut s'opposer à la volonté d'un dragon. Plus j'y pense, plus je sais que je suis la créature la plus dangereuse de ce monde! Je suis Peck à l'Eau Claire, la bête de feu!

Dignement, Peck se releva et fit face à ses adversaires. Les bonnets-rouges remarquèrent tout de suite que son attitude avait changé. La proie n'avait plus peur et leur faisait face avec un aplomb qui les troubla. Pour un bref moment, ils crurent voir l'ombre d'une bête gigantesque s'avancer vers eux. Du fugitif émanait maintenant une vibration d'ogre affamé, de troll enragé.

Les bonnets-rouges firent quelques pas à reculons. Une lumière rougeoyante animait maintenant le regard de Peck à l'Eau Claire. Une forte odeur de soufre envahit les lieux. Trop stupides pour interpréter les signes d'avertissement, les bonnets-rouges poussèrent malgré tout leur cri de guerre et foncèrent tête baissée, toutes armes dehors, sur leur proie.

Peck à l'Eau Claire inspira profondément et cracha par la bouche un jet de flammes si puissant qu'il cuisit les bonnets-rouges sur place. Les pauvres eurent à peine le temps de comprendre ce qu'il leur arrivait qu'ils étaient tombés au sol, fumant tels des poulets rôtis. Mais le feu avait consommé beaucoup plus que les ennemis de Peck. Les arbres et la forêt tout autour brûlaient maintenant avec vigueur.

Devant le spectacle de son exploit, Peck à l'Eau Claire tomba à genoux en poussant un hurlement de douleur. Tout l'intérieur de sa bouche jusqu'au bout de ses lèvres était sévèrement brûlé. La peau de ses mains et de ses pieds tombait aussi en lambeaux. Tenaillé par une soif indescriptible, son corps ne semblait plus contenir une seule goutte d'eau.

— Je suis sec, pensa-t-il, sec comme une vieille branche... hou là là... c'est ainsi que je meurs... j'ai vomi du feu... si je survis, il faudra que j'évite les piments. Éviter les piments... ce sera ma dernière pensée... adieu.

D'entre les flammes, bondit alors la silhouette du faune qui chargea Peck sur ses épaules pour ensuite rapidement quitter la scène de l'incendie. Avec la force et l'agilité d'un gorille, le faune sauta de rocher en rocher pour éviter les braises, puis réussit, non sans quelques habiles man'uvres, à s'éloigner de l'incendie.

Continuant sa course, il cavala à une folle vitesse à travers l'épaisse forêt. Peck toujours sur ses épaules, le faune fila jusqu'à une petite rivière où il projeta le corps brûlant du demi-korrigan. Lorsque Peck toucha l'eau, un nuage de vapeur s'éleva au-dessus de lui.

— AAAAAAAH!, fit Peck soulagé de son mal. C'est bon... hou là là! Que c'est bon!

— Bois, Peck! lui ordonna le faune. Bois tout ce que tu peux! Bois à t'en faire éclater le ventre! Demeure immergé le plus possible et avale toute l'eau que tu peux!

— Oh oui… c'est ce que je fais… hou que c'est bon ! C'est bon… je bois hummmm… je grelotte… c'est bon… oh que c'est froid ! C'est tellement bon, le froid ! Je ne sais pas pourquoi, mais je ne pense qu'aux piments ! Aux piments forts qui font cracher le feu !

— Cette eau arrive des neiges éternelles qui coiffent les hautes montagnes !, l'informa le faune. Elle est limpide, cristalline et glacée ! Tu dois y demeurer le plus longtemps possible, ton corps en a besoin ! Tu viens de vivre un énorme choc et tu dois reprendre le plus rapidement possible toute l'eau que tu as perdue !

— Oui, je reprends... hou là là… que c'est bon de l'eau… heureusement, ce dragon est tombé du ciel pour me sauver... hou là… quel bonheur... un véritable cadeau des dieux !

— C'est toi qui as provoqué ce feu, mon cher Peck ! lui dit le faune. Il n'y a jamais eu de dragon.

Peck, au comble du bonheur, n'écoutait plus le faune. Il pataugeait dans la rivière, la tête à moitié enfouie. Tout en savourant chacune des gorgées de cette eau revigorante, Peck constata que la peau de ses mains s'était complètement refaite et qu'il n'avait plus mal aux pieds non plus. Sa bouche et ses lèvres étaient également guéries. Lentement, il revenait à la vie. Sans l'intervention du faune, jamais il n'aurait survécu au souffle du dragon.

— Je crois que je peux sortir maintenant, je commence à être transi par le froid, hou là là…

— Non, tu ne bouges pas ! lui ordonna le faune qui préparait déjà des lits de fortune. Je dois m'assurer que tu t'imbibes comme une éponge.

— Vous croyez que le dragon reviendra ? demanda naïvement Peck.

— Non, il ne reviendra pas ! À moins que tu ne le réveilles une seconde fois.

— Je peux sortir, hou là là ?

— Non.

— Qu'entendez-vous par là ? demanda Peck grelottant. Je n'ai jamais réveillé de dragon. Je n'en connais pas et je n'en ai jamais vu ! Alors, ce n'est certainement pas moi ! D'ailleurs, je n'ai pas la capacité de lancer des flammes avec ma bouche !

— Toi non, répondit le faune, mais ta vision, oui...

— Je peux sortir de là ? Je ne sens plus mes doigts !

— Non.

— Comment savez-vous que j'ai eu la vision d'un dragon ?

— Je commence à te connaître, mon cher Peck ! Il y a un terme qui désigne ce que tu as vécu, les alchimistes le nomment la sublimation... ne bouge pas, je t'ai dit... et ils proposent une théorie selon laquelle l'esprit est supérieur à la matière. Ton intense peur de mourir a déclenché chez toi ce processus où ta pensée a supplanté ta matérialité afin de t'incarner dans un moyen de défense puissant et, ma foi, très efficace. Un dragon, de surcroît !

Peck à l'Eau Claire hocha la tête en adoptant un rictus pensif.

— Tu n'as rien compris, n'est-ce pas ? lui demanda le faune.

— Absolument rien ! répondit franchement le demi-korrigan. En fait, je serais peut-être plus concentré si je n'avais pas l'impression de me transformer en bloc de glace.

— Bon exemple ! s'exclama le faune. Le froid transforme la matière, tout comme le feu, n'est-ce pas ? Les flammes consument cette matière et ne laissent que des poussières alors que l'eau passe de la forme liquide à solide avec le froid ! Toi, tu es capable d'agir sur la matière simplement en utilisant ta pensée.

— C'est fantastique, tout ça ! lança Peck sans la moindre émotion. Curieusement, je commence à être bien dans cette eau, je crois même que je vais y faire une petite sieste.

— SORS TOUT DE SUITE DE LÀ ! hurla le faune. Viens ici, je vais faire un feu pour te réchauffer !

— Pas besoin, je... je suis... hou là là...

Avant que Peck ne ferme les yeux pour sombrer dans un profond sommeil, il fut cueilli par le faune qui l'installa confortablement sur une couche de branches de sapin frais.

— Fais de beaux rêves, Peck..., lui glissa le faune à l'oreille. Je veille sur toi, mon ami.

***

Pendant que le feu de forêt allumé par Peck s'étendait sur un versant complet de la montagne, une pluie de météores s'abattait sur les enfers. À l'abri dans la crevasse d'une falaise bordant le fleuve Cocyte, la troupe d'aventuriers regardait tomber ce déluge de feu et de lave.

— Je suis contente que Médousa ait trouvé cet endroit, fit Lolya impressionnée devant la fureur des éléments. Nous n'aurions pas survécu à cette tempête ! Même avec l'eau de la fontaine de jouvence, nous aurions été réduits en poussière.

— J'ai faim…, ronchonna Béorf. Je n'arrive pas à croire que nous ayons tout donné à ce Baal !

— Nous avons VENDU nos provisions, Béorf ! le corrigea Mordoc. Et il les a chèrement payées.

— Ouais… c'est ça, grogna le béorite. Tous ces bons aliments contre de l'eau qui ne goûte rien et qui ne remplit pas la panse. Quelle bonne affaire ! Pfft !

— Ce que tu es grognon !, soupira Médousa. Nous sommes prisonniers des enfers, il pleut des boules de feu et toi, tu ne penses encore qu'à manger. Décidément, c'est une fixation ! Quelqu'un n'aurait pas un bout de pain ou de saucisse pour lui fermer le clapet ?

Personne dans le groupe ne releva la question puisque, depuis des jours, le seul élément qu'ils consommaient était l'eau de la fontaine de jouvence. De toute évidence, le précieux liquide maintenait en vie, mais ne comblait pas la faim. Tout au plus, elle l'apaisait.

— Si je regarde la carte de Baal, c'est ici que nous devrions nous embarquer sur le Cocyte afin de naviguer vers notre sortie, dit Alior songeur. Ce fleuve coule jusqu'à la Cité infernale où il nous sera possible d'emprunter les couloirs du Pandémonium afin de ressortir quelque part dans les abysses où il y a six cent soixante-six étages de grottes et de couloirs. Une fois dans ce labyrinthe, nous devrons découvrir la porte des Titans, un passage secret pour rejoindre les Champs Élysées. Une fois là-bas, il y a un passage qui se rend à l'île Blanche, celle-ci située dans notre propre monde!

— C'est tout un programme! fit Nellas. Entre nous, je pense que réussir ce trajet sera hautement improbable, d'autant qu'avec les violentes tempêtes que nous subissons et les risques de devenir tout simplement fous en pénétrant dans la Cité infernale... Je propose que nous changions de route.

— Il n'y a pas de solution, en conclut Bois d'Orme, les enfers seront notre dernier repos!

— Il ne faut pas baisser les bras aussi vite, répliqua Lolya. Il y a certainement une solution.

— Sans rien à bouffer, nous ne survivrons pas, lança Béorf pessimiste. Si au moins, il y avait un peu de jambon... Le gras, c'est la vie!

— Je ne sais pas pour vous, fit Mordoc, mais moi, je n'ai pas l'intention de crever ici avec trois sacs remplis de diamants! Je suis peut-être l'homme le plus riche du monde et je vous assure que je profiterai de cette fortune avant de rendre l'âme.

Bloquée dans cet abri, la troupe attendit que la tempête se calme avant de reprendre la route. Sous leurs pieds, la terre était brûlante et les semelles des bottes et des souliers se dégradaient rapidement.

— Il sera difficile d'avancer rapidement si nous n'avons plus rien pour nous protéger les pieds, fit Nellas. Nous devrions nous arrêter pour attendre que la terre refroidisse un peu.

— Pas question, fit Béorf. Je veux sortir d'ici au plus vite et j'en ai marre de ces constantes périodes de repos! s'exclama Béorf en soulevant Nellas pour l'asseoir sur ses épaules. Ne prenons pas de risque et évitons le drame des semelles calcinées!

— Mais je suis... je suis trop lourde! s'exclama l'archère.

— Avec ma nouvelle ceinture de force, tu ne pèses pas plus qu'une plume!

— Je crois que notre chance vient de tourner, fit soudainement Lolya. Là-bas, sur les bords du Cocyte, je vois un bateau!

— J'y vais, lança aussitôt Mordoc. Je vais négocier notre passage!

Il s'agissait bien d'un bateau, mais celui-ci était échoué sur la grève. D'une allure sinistre, sa coque était trouée et ses trois mâts brisés. Manifestement, il avait essuyé une tempête catastrophique et ne s'en était pas remis.

Mordoc s'approcha avec précaution. Tout en signalant plusieurs fois sa présence, il s'approcha un peu plus de la coque. C'est alors qu'il vit sortir un vieil homme, avançant de peine et de misère en s'appuyant sur une canne de fortune. Il avait une mine à faire peur. Portant des haillons qui ressemblaient vaguement à un uniforme de capitaine, il avança de quelques pas en direction de Mordoc.

— Ce bateau est ma possession ! cria-t-il sur un ton agacé. Foutez le camp ou je vous ferai passer l'envie de revenir me déranger !

— Bonjour monsieur ! commença poliment Mordoc. Je représente un groupe de voyageurs qui cherche désespérément un bateau pouvant nous conduire à la Cité infernale ! Je me demandais si... enfin, je vois bien que votre navire n'est plus en état de voguer, cependant...

— PLUS EN ÉTAT DE VOGUER ! se fâcha le capitaine. Mais oui, bougre d'imbécile qu'il l'est encore... Ce bateau peut voguer, mais s'il est ainsi, c'est qu'il n'a plus de raison de le faire ! Espèce d'idiot, tout le monde sait qu'un navire a besoin d'être motivé pour accomplir sa tâche.

— Non, je ne savais pas... désolé.

— Avant, je transportais les âmes des morts sur le Styx jusqu'à Braha, la ville du jugement dernier, fit le vieil homme. Mais aujourd'hui, depuis que le chaos règne dans les enfers, il n'est plus possible de faire ce travail... Le fleuve est presque asséché et toutes les routes marines ont changé de port. Je ne m'y retrouve plus... mon bateau non plus.

— Ne seriez-vous pas le batelier des enfers, celui que l'on nomme Charon ? demanda Mordoc.

— Vous me connaissez ?

— Votre réputation n'est plus à faire ! le vanta Mordoc. Vous êtes une légende dans le monde des vivants, un personnage célèbre! D'ailleurs, c'est un honneur de vous rencontrer.

Pendant un instant, Charon parut troublé. Depuis ses problèmes à naviguer sur le Styx, il avait oublié l'importance de sa fonction et la réputation qui le précédait.

— Et vous allez où? fit-il avec un peu plus d'ouverture.

— Moi et mes amis, expliqua Mordoc que la troupe avait rejoint, tentons désespérément de retrouver le monde des vivants. Baal nous a fait cadeau d'une carte qui nous indique le début d'un passage situé dans la Cité maudite et...

— Oubliez cette option, bande de tarés! rigola Charon. Il faut être un démon où encore appartenir au monde infernal pour ne pas devenir fou dans cette ville. Je ne donne pas une journée avant que la démence vous frappe! Cet endroit n'est pas fait pour les vivants...

— Il n'y a donc aucune solution pour nous? l'interrogea Mordoc.

— Il y en a bien une, mais...

— Mais quoi?

— Non, laissez tomber!

— S'il vous plaît! l'implora Mordoc.

— Il est plus facile de sortir de Braha que de sortir des enfers et... et le Styx relie les deux mondes! fit Charon. Mais comme la rivière est détournée de son cours, je ne vois pas comment y arriver.

— Il y a de la bouffe à Braha? demanda Béorf toujours aussi insistant.

— Si tu parles encore de manger, Béorf, lui glissa Médousa à l'oreille, je te change en statue de pierre!

— Ouais... ce ne serait pas la première fois, n'est-ce pas? répliqua le gros garçon.

— Arrête, tu me fais de la peine... je t'ai expliqué plusieurs fois que c'était Karmakas qui désirait revoir son pendentif et que...

— C'est ça, oui, je connais la chanson!

— Tu deviens odieux quand tu as faim, Béorf! lui fit remarquer Lolya. Excuse-toi tout de suite! Médousa ne mérite pas de se faire rabrouer de la sorte!

— Et dépose-moi au sol, ajouta Nellas qui était toujours sur ses épaules, j'aime mieux me brûler les pieds que de voyager sur le dos d'un béorite agressif.

— C'est toujours pareil avec les filles! grogna Béorf. Si Amos était ici, lui, il me comprendrait!

Charon tourna rapidement la tête vers Béorf.

— Tu as dit Amos? lui demanda-t-il. Parles-tu d'Amos Daragon, le porteur de masques?

— Oui, Amos Daragon est mon ami... mon meilleur ami! répondit fièrement le béorite.

— Nous sommes ses compagnons d'aventure! ajouta Lolya.

— Et elle, c'est même sa petite copine! précisa Médousa en pointant Lolya.

— Enfin..., fit la nécromancienne. Plutôt son ancienne amie de c'ur...

— Dans ce cas, j'ai trouvé ma motivation pour reprendre la route vers Braha! lança Charon. Du moins pour essayer de la retrouver. Cependant, il vous faudra payer votre passage!

Mordoc sortit de ses sacs huit diamants, un pour chaque membre de la troupe, puis les tendit à Charon.

— Excellent! fit le capitaine. Tout le monde à bord, nous partons!

À ces mots, le gigantesque navire à trois mâts qui paraissait bien enlisé sur la rive commença à se redresser. Dans un bruit de planches brisées, de bois tordu et de craquements sinistres, le bateau regagna lentement les eaux du Cocyte.

Charon intima les voyageurs au visage ahuri de monter rapidement à bord.

— Mais qu'est-ce que vous faites, bande de sardines, montez! Agrippez les cordages et hissez-vous à bord, nous n'avons pas toute la journée quand même. Mais bougez-vous le popotin, sinon, je pars sans vous!

Deux squelettes, qui semblaient occuper la fonction de matelot, lancèrent par-dessus bord les cordes des amarres. Chacun s'y agrippa et monta facilement sur le pont, sauf Alior qui, trop lourd à cause de sa corpulence, mais surtout de son armure, dut être attaché puis hissé à bord.

Sextant à la main, Charon s'occupait à trouver la bonne direction.

— Je peux vous aider, capitaine, offrit Mordoc. J'ai déjà navigué!

— Oui! Bien sûr! rigola Charon. Vous voulez dire que vous avez fait de la piraterie pendant de longues années, n'est-ce pas?

— C'est une façon de le voir...

— Préparez-vous plutôt à combattre, mon ami! Dans ce monde, il y a plus d'horreurs que vous pouvez en imaginer. Je les sens venir... ils seront bientôt sur nous!

— Mais qui? De qui parlez-vous?

— Le Cocyte est le fleuve des âmes en peine, son cours est alimenté par les pleurs des hommes condamnés à expier leurs fautes. Ce sont de ces tourmentés dont je vous parle. Il faudra être prêt, car en plus, s'y baignent aussi les âmes maudites des lémures...

Chapitre 8
Tabula Smaragdina

Le faune poussa un long soupir.

— Mais veux-tu écouter un peu ? Je te dis que tout ce qui est en bas est semblable à ce qui est en haut et ce qui est en haut semblable à ce qui est en bas ! C'est pourtant simple, non ?

Peck se gratta la tête.

— Tes rêves et tes visions, tout est lié. Amos Daragon, ses amis en enfer, Berrion qui brûle dans tes rêves, tout cela ne se résume qu'à une simple chose, le trouble et la confusion d'un monde qui doit se reconstruire ! expliqua le faune. Et le point central de cette renaissance se fera autour du Sanctuaire des Braves. C'est plus clair pour toi ?

— Le monde doit se reconstruire ? Hou là là... Nous pouvons nous reposer un peu, je suis fatigué de cette marche.

— Non, cher Peck !, répondit impérativement le faune. Après l'expérience que tu as vécue, il faut activer ton corps et ton esprit. La marche est là pour tes muscles, mes enseignements pour ta spiritualité. Nous devons te remettre en pleine santé et rapidement !

— C'est vrai que, pour être honnête, je ne me sens pas très bien... J'ai chaud, parfois je grelotte. Puis, hou là là, j'ai impression d'avoir été piétiné par une harde de chevaux sauvages. Il n'y a pas un endroit de mon corps qui ne me fait pas souffrir !

— Bois ceci, lui recommanda le faune en présentant sa gourde. J'ai fait une mixture de plantes qui pourra t'aider. Tu connais la Tabula Smaragdina, Peck ?

— Jamais entendu parler. C'est une maladie ?

— Non, il s'agit plutôt d'un ensemble de secrets, de codes et de formules qu'utilisent les alchimistes pour changer le plomb en or, par exemple, ou pour mieux contrôler le monde autour d'eux. Eh bien, dans un de ces chapitres, on y parle du pouvoir des mots. Car les mots portent en eux un grand, un très grand pouvoir. Par exemple, écoute bien ceci :

Le brave qui connaît les hommes est prudent, le brave qui se connaît lui-même est éclairé. Le brave qui dompte les hommes est puissant, le brave qui se dompte lui-même est fort.

— Comme je te l'ai dit, Amos, les mots ont... sssssss... un grand pouvoir et c'est là que tu dois commencer ! dit Sig Dreuf. Tu es maître dans l'art de combattre, mais tu dois maintenant devenir... sssssss... maître dans l'art de maîtriser tes pensées. Que penses-tu de ces deux phrases ?

Amos était bien assis dans les jardins du temple de l'île Blanche et, depuis quelques jours, il avait entrepris ses rencontres quotidiennes avec le druide nagas. Encore très mal en point, Amos avait pris la décision de vivre et de se remettre sur pied. Rétablir l'équilibre du monde ne lui avait pas permis de trouver son propre équilibre. Une longue route, celle de la guérison, s'allongeait devant lui.

— J'en pense que, jusqu'à présent, j'ai été prudent et puissant, mais pas très éclairé et surtout pas très fort. Je me connais mal et j'ai été incapable de me dompter, répondit Amos en toute franchise. Surtout depuis qu'on m'a retiré mes masques. Sans eux, je n'ai plus d'identité... je suis un moins que rien.

— Mais tu étais quelqu'un avant de... sssssss... de les avoir, n'est-ce pas? le questionna Sig Dreuf. Tu n'étais pas le porteur de masques, mais tu... sssssss... étais Amos Daragon, un garçon rusé et intelligent à ce qu'on m'a dit, non?

— Oui..., acquiesça Amos. Je l'étais, mais je ne le suis plus.

— Tu n'es plus... sssssss... Amos Daragon?

— Je ne sais plus qui je suis... Enfin, c'est bien mon nom, mais je ne me retrouve plus dans ce nom. Ce nom a disparu au profit du porteur de masques, il a été dévoré par mes anciens pouvoirs.

— Alors il faudra travailler ensemble afin que ce nom retrouve... sssssss... une signification et que d'autres pouvoirs lui soient associés, tu comprends? Tu dois d'abord te réapproprier ton nom afin de pouvoir exister à nouveau. C'est ce que l'on nomme... sssssss... la force des mots! Si je te parle d'une fleur, tu vois immédiatement une image de cette fleur. Tu sais qu'elle a des pétales, qu'elle pousse sur une tige et qu'elle dégage généralement une odeur agréable. Le mot «fleur» porte en lui l'essence... ssssss... de la vie d'une fleur! Que signifie maintenant... ssssss... le prénom Amos?

— Rien, rien du tout!

— Voilà pourquoi tu désires mourir, parce que dans ton esprit... ssssss... tu n'existes plus! Écoute ces phrases de la Tabula Smaragdina, je crois qu'elles conviennent... ssssss... parfaitement à Amos Daragon.

Le brave ne se met pas en lumière, c'est pourquoi il brille. Le brave ne s'approuve point, c'est pourquoi il jette de l'éclat. Le brave ne se vante point, c'est pourquoi il a du mérite. Le brave ne se glorifie point, c'est pourquoi il est le supérieur des autres.

— Cette définition, ces mots, Peck, c'est exactement toi! continua le faune. Tu es un brave, un des plus grands qui existent dans ce monde!

— Mais je ne suis pas un brave, je n'ai jamais rien fait de ma vie, s'opposa Peck. Je suis un moins que rien, un raté qui ne sait même pas tenir une arme...

— ...mais qui possède le souffle du dragon! l'interrompit le faune.

— Je n'ai pas d'amis...

— ...que fais-tu de moi?

— Je n'ai pas de talents...

— ...autre que celui de la clairvoyance et de la sublimation.

— Je ne suis rien...

— …rien qu'un être unique et singulier dans un monde de similarité.

— Je suis Peck à l'Eau Claire, l'exclu…

— …tu es Peck à l'Eau Claire, l'élu.

Peck s'arrêta net. Il était troublé, embrouillé par ce qu'il venait d'entendre. Était-ce cela, la puissance des mots ? Lui faire croire à ce qu'il n'est pas réellement ? Peck ne s'était pas vu en héros, encore moins en brave, et voilà que lentement l'idée de ne pas être un moins que rien lui plaisait beaucoup. Jusqu'à présent, il avait été ridiculisé et rejeté parce que différent des autres et cette image de victime s'était imprégnée en lui.

Soudainement, Peck s'arrêta et éclata en sanglots.

Le faune sourit et le recueillit dans ses bras.

— La vérité commence à cheminer en toi, mon Peck…, lui dit-il. Cela fait mal de se rendre compte que l'on s'est trompé sur soi. Tu existes en dehors des mots et des injures de ceux qui te voulaient du mal. Leurs mots t'ont formé, caractérisé, défini, mais ils avaient tort. Tu n'es pas de la race des laissés-pour-compte ; tu es une force de rassemblement et d'humilité. Ton destin s'inscrit dans la trame des grands événements de notre monde.

— Hou là là…, fit Peck en essuyant ses larmes. J'ai tellement souffert de n'être rien. Je ne désire pas beaucoup de la vie… je veux avoir des amis et vivre dans la joie. Mais surtout, j'aimerais trouver un sens à ma vie…

— La Tabula Smaragdina nous dit ceci mon cher Peck !

Lorsque le brave trouve un sens à sa vie, ce qui est incomplet devient entier, ce qui est courbé devient droit, ce qui est creux devient plein, ce qui est usé devient neuf.

— Rétablir l'équilibre du monde était le... sssssss... le sens profond de ta vie, Amos, expliqua Sig Dreuf. Maintenant, tu n'as plus de direction, tu es comme un bateau sans gouvernail. Tu as besoin d'un nouveau... sssssss... cap à suivre. Et pour cela, tu n'as pas besoin de tes masques, car leurs pouvoirs sont toujours... sssssss... en toi.

— Non, vous vous trompez, sans eux, je n'ai plus aucun pouvoir, lui répondit Amos.

— Tant et aussi longtemps que tu croiras ne... sssssss... plus avoir de pouvoir, tu n'en auras pas le moindre ! Mais le jour où tu essayeras simplement de... sssssss... contrôler le vent, peut-être bien que celui-ci t'écoutera encore.

— J'aimerais bien vous croire..., soupira Amos, mais je sais que c'est peine perdue.

— Je te laisse méditer... sssssss... sur nos dernières paroles, conclut Sig Dreuf, nous nous reverrons demain.

— Très bien, merci et à demain.

Fatigué par sa longue matinée, Amos décida de prendre un peu de repos dans les vastes jardins du temple des druides. Il y trouverait certainement un endroit calme afin d'y faire une sieste. Pour la première fois depuis très longtemps, il pensa à Béorf, Lolya et Médousa.

— Je me demande bien ce qu'ils font, ceux-là, se dit-il en se dirigeant vers un sous-bois. Lolya doit être dans un état lamentable et Béorf ne doit pas savoir comment diriger les travaux de construction du sanctuaire. Pauvre Médousa qui doit subir son caractère tous les jours ! Je ne sais pas s'ils pensent un peu à moi ou s'ils m'en veulent d'avoir disparu sans laisser de traces... Ils doivent être inquiets, c'est certain !

Amos s'adossa au tronc d'un gigantesque pommier en fleurs.

— Et puis Hermine ? Pauvre Hermine..., pensa-t-il. Elle était si jolie, puis elle avait toute la vie devant elle ! Son père doit être au désespoir... ce brave tonnelier ne doit pas comprendre ce qui arrivé et pourquoi il a perdu sa fille. À mon retour, je devrai lui expliquer, lui raconter comment Béhémoth et Léviathan l'ont brutalement assassinée. Ce ne sera pas un moment très agréable, mais je lui dois bien cela. Si je n'avais pas été là, avec elle, rien de tout cela se serait produit ! Si au moins j'avais pu utiliser mes masques de pouvoir, je l'aurais sauvée des griffes de ces démons...

Se remémorant ce que lui avait dit Sig Dreuf, Amos pensa qu'il ne lui coûtait rien d'essayer à nouveau ses pouvoirs. Après tout, il n'avait rien à perdre. D'un timide mouvement du bras, il commanda au vent de faire bruisser les feuilles des arbres, mais rien ne se produisit. L'élément de l'air demeura sourd à son appel.

— Je savais bien..., pensa-t-il, il ne me reste plus rien de la magie des masques. Mais peut-être que...

Tout de suite, Amos ordonna à la terre de s'agglutiner en un petit monticule devant lui. Encore une fois, ce fut un échec.

— L'eau peut-être?

Fixant le bras de mer à quelques enjambées devant lui, il commanda à l'eau d'exploser en un geyser de gouttelettes. Les vagues demeurèrent sagement à leur place. Encore une fois, l'expérience s'était avérée un cuisant échec.

— Bon, c'est bien la preuve que je n'ai plus le moindre pouvoir, constata Amos avec une certaine affliction. Le feu étant l'élément le plus difficile à contrôler, je ne me ridiculiserai pas à vouloir le faire danser entre mes doigts. Amos Daragon, le porteur de masques qui contrôlait si bien les éléments, est mort... la preuve est faite!

Amos posa les yeux sur une marguerite fanée tout près de lui. Il la cueillit pour la déposer dans le creux de sa main.

— Je suis comme cette fleur, pensa-t-il. Le temps de mon épanouissement est terminé. Je dois maintenant flétrir et retrouver le simple petit Amos Daragon que j'étais. Les masques m'ont été enlevés et avec eux, tous les pouvoirs que j'avais sur le monde.

En regardant la fleur aux pétales défraîchis et aux couleurs ternes, l'image de la jeune Hermine vint à nouveau le hanter. Une larme coula lentement sur sa joue, puis tomba dans le creux de sa main. L'eau emprunta une des lignes de sa paume et poursuivit son chemin jusqu'à la tige de la fleur. Dès que les larmes entrèrent en contact avec la marguerite, celle-ci commença lentement à se reconstruire, pétale par pétale, jusqu'à retrouver sa splendeur initiale. Sans le vouloir, Amos lui avait redonné vie.

— Je comprends... tout est en moi! fit-il illuminé de cette soudaine révélation. L'eau, la terre, le feu, l'air et l'éther ne sont plus à l'extérieur de moi, mais ils vivent en moi.

— Amos Daragon n'est pas mort, dit soudainement la voix de Sig Dreuf qui, caché derrière l'arbre, avait tout vu. Non, Amos Daragon n'est... ssssss... pas mort, il s'est transformé!

Chapitre 9
Les lémures

Toutes les troupes étaient entrées à Berrion en abandonnant derrière elles la porte des enfers. C'est avec regret que les chevaliers de Berrion avaient dit adieu à Alior aux Dents rouges et c'est non sans tiraillements que les forestiers de Tarkasis s'étaient résolus à quitter l'endroit sans Nellas, Bois d'Orme et If de Brise. Seuls les aventuriers de Bratel-la-Grande, qui connaissaient peu Mordoc, étaient remontés dans la flagolfière en direction de Berrion sans en faire tout un fromage. Leur chef avait tenté sa chance dans les enfers et il n'était pas revenu. Mordoc méritait qu'on honore son courage, mais cette action ne valait pas d'être arrosée d'une larme.

Une seule créature, Maelström, avait désobéi aux ordres de Junos et était demeurée à la porte des enfers. Ne pouvant se résigner à abandonner ses amis Béorf, Lolya et Médousa, il s'était installé directement devant la gigantesque porte, le museau dans l'entrebâillement afin d'être attentif au moindre bruit provenant de l'intérieur de la montagne. Heureusement, Junos avait rapidement oublié cet affront à son autorité. Il connaissait bien

Maelström et il savait que sa loyauté était d'abord une affaire de c'ur et non d'autorité.

— La forteresse est sécurisée, Votre Altesse! lança un forestier de Tarkasis au rapport. Nous leur avons repris les remparts du donjon et les avons repoussés loin derrière les premières habitations. Tous ceux qui tentent de s'approcher des murs subissent les tirs nourris de nos archers.

— La grande porte du donjon est aussi sécurisée, Junos! ajouta un chevalier de Berrion. Nos troupes ont repoussé l'ennemi avec vigueur. Toutes les entrées sont maintenant sous notre contrôle. Tout le bâtiment grouille de vos chevaliers et aucune intrusion ne sera maintenant possible. Notre équipe d'infanterie se prépare afin de lancer une attaque sur la ville. Si tout va bien, d'ici quelques jours, nous aurons récupéré Berrion.

— Vous n'aurez rien récupéré du tout! s'immisça la voix du nouveau chef des aventuriers de Bratel-la-Grande. Au contraire, une nouvelle menace s'abattra bientôt sur nous. Mes espions nous rapportent l'arrivée des hommes-bêtes.

— Des hommanimaux! s'étonna un béorite d'Upsgran. Mais de quelle race?

Le chef des aventuriers de Bratel-la-Grande s'écarta pour introduire dans le cercle de la conversation un petit homme à peine haut comme la jambe d'un être humain et dont la forme de la figure rappelait vaguement un rongeur. Était-ce à cause de sa moustache fine et effilée ou de ses grandes pupilles couleur noisette? Qu'importe, car il avait véritablement l'allure d'un mammifère commun et bien connu des habitants des villes.

— Junos, mon roi, et vous, messieurs, dit-il, dissimulé sous le large capuchon de sa cape. C'est un véritable honneur que de m'adresser à cette assemblée.

— Cette odeur ! fit le béorite. C'est... Mais c'est un homme-rat ! Sortez-moi cette vermine d'ici !

— À Berrion, c'est moi qui décide qui reste et qui part ! précisa Junos.

— Parfait, mais laissez-moi au moins vous prévenir que cette race d'hommanimaux est la plus sale et la plus vile de toutes les espèces ! continua le béorite. Ce sont de petites créatures bien sournoises en qui on ne peut pas avoir confiance.

— Je me défendrai simplement en précisant, fit l'homme-rat, que les béorites n'aiment et ne respectent que les membres de leur propre espèce. Hors de leurs villages, ils deviennent rapidement racistes et bien étroits d'esprit. Mais je les excuse ; la qualité première d'un ours n'est-elle pas de savoir bien remplir son estomac plutôt que de nourrir son intelligence ?

— Sale rat ! grogna le béorite, je vais te secouer les poux !

Junos dégaina son épée et frappa un grand coup sur la table devant lui. Le béorite se tut et baissa la tête.

— Parle, homme-rat ! fit Junos. Je t'écoute...

— Permettez-moi d'abord de me présenter, Votre Altesse, fit-il dans une longue révérence. Dans l'exercice de mon métier, je porte plusieurs noms, mais mes amis me nomment familièrement Rotto. Des aventuriers de Bratel-la-Grande, je suis de loin l'espion et l'assassin le plus doué. Ma réputation dépasse largement les frontières du royaume des Quinze et j'ai travaillé pour les plus grands rois de ce monde. Je me faufile partout et la dague empoisonnée est de loin mon instrument de prédilection.

— C'est ce que je disais, de la vermine..., maugréa le béorite mécontent.

— Hum..., fit Junos d'un air peu suspect. Soyez franc avec moi, avez-vous pris part à l'étrange suicide du chevalier Huberdeault de Val-aux-Oies? J'ai toujours pensé qu'il s'agissait de l'"uvre d'un professionnel.

— Mon œuvre, exactement!, répondit Rotto sans aucune hésitation. Un meurtre commandité par son épouse, Dame Estrella, qui m'a grassement payé afin d'exécuter un mari infidèle et corrompu. Violent avec elle, aussi!

— Vous êtes un homme dangereux, Rotto! s'étonna Junos devant un aveu si candide.

— Chacun son métier... Je fais le mien avec précision, ajouta Rotto. Heureusement, je choisis mes causes et celle de Votre Altesse est de loin ma préférée d'entre toutes. Grand souverain, sachez qu'on a toujours besoin d'un plus petit que soi... et, pour accomplir le sale boulot, rien ne vaut un rat! Je suis de la race des êtres qui n'ont pas peur de se salir les mains.

— Tu m'apportes de mauvaises nouvelles, c'est cela?

— Oui... de très mauvaises, Votre Altesse royale, je vous annonce l'arrivée prochaine des hommes-bêtes !

Depuis qu'ils étaient revenus à Berrion pour y défendre la ville, le nouveau chef des aventuriers de Bratel-la-Grande avait demandé à Rotto de s'infiltrer dans les troupes adverses afin d'espionner leurs moindres faits et gestes. De la taille d'un enfant, l'assassin s'était rapidement intégré aux Berrionais sans se faire remarquer. Entre les villageois maintenant prisonniers du joug des chefs barbares et leurs combattants indisciplinés, trop nombreux et ignares, il n'avait eu aucun mal à s'approcher des conseils de guerre afin d'y tendre son indiscrète oreille de rongeur.

C'était lors d'une réunion secrète entre les différents chefs barbares et leurs sorciers qu'il avait assisté à une étrange cérémonie. Autour d'une idole de paille représentant un dieu béotien d'une autre époque, les sorciers avaient imploré le grand réveil.

— Je me demandais ce que pouvait bien être ce « grand réveil », expliqua Rotto. C'est alors que j'ai assisté à la chose la plus étrange de toute ma vie. L'idole de paille, grossière et difforme, s'est mise à bouger. Aussitôt, les barbares se sont lancés face contre terre afin de l'implorer. Puis, je l'ai entendue marmonner quelques mots dans une langue que je ne connais pas et je l'ai ensuite vue se transformer en une créature hideuse, mi-homme mi-bouc.

— Oh non... pas cela !, s'exclama le béorite soudainement très inquiet. Pas le réveil de la race des lémures...

— Je ne savais pas que les béorites connaissaient cette légende, fit Rotto. Je crois, en effet, qu'il s'agissait bien d'un lémure.

— Quelqu'un peut nous éclairer, ici ? s'impatienta Junos.

— Il s'agit d'une vieille histoire qui remonte à la création des hommanimaux, expliqua le béorite. Il est dit que toutes les créatures impures de notre race, celles qui un jour auraient mangé de la viande humaine ou humanoïde, et qui, par ce fait, auraient été damnées, pourraient un jour revenir à la vie...

— Il est dit que leurs esprits, prisonniers du fleuve Cocyte des enfers, attendraient le jour du grand réveil pour se réincarner, précisa Rotto. Et je crois bien que ce jour est venu !

Rotto tira un grand livre de son sac et tourna quelques pages.

— Écoutez ceci, dit-il. C'est dans le livre *des prophéties de...*

— *Les prophéties de Kélios*, le fils d'Aigle le premier ! cria le béorite. Mais ce livre est sacré ! Tu n'as pas le droit de posséder un tel objet, ni même de le consulter, homme-rat ! C'est un sacrilège ! Il ne doit être accessible qu'aux sages hommanimaux les plus méritants du monde !

— Bon, oui ! s'énerva Rotto. Ça va ! Je sais tout cela, mais je devais en avoir le cœur net et je n'ai fait que l'emprunter... temporairement... du temple des aigles, mais j'ai l'intention de le rapporter au plus vite !

— DU TEMPLE DES AIGLES ! ARGGGG-GGG !

Le béorite perdit la tête et se transforma en ours. Après avoir poussé un grognement à faire trembler les murs, il bondit sur Rotto afin de le réduire en pièces. D'un habile mouvement, l'homme-rat évita de justesse la première attaque. Cependant, le second coup de patte de l'ours le fit voler jusqu'au plafond. Heureusement, Rotto réussit à attraper in extremis un chandelier afin d'éviter une pénible chute. Pendant que les chevaliers de Berrion évacuaient non sans peine le béorite de la salle de réunion, l'homme-rat descendit discrètement de son perchoir afin de reprendre la conversation.

— Bon... bon, fit-il plus nerveusement. Que tous les hommanimaux, s'il en reste, sortent de cette salle, car j'ai bien peur que la suite de mes aventures leur déplaise tout autant. Personne ? Pas d'hommes-chiens ? D'hommes-chats ?

— Continuez, Rotto, nous vous écoutons, l'intima Junos.

— D'accord, bon... Dans ce livre, dont vous aurez certainement compris l'importance, il est inscrit ceci : « ... c'est ainsi que les âmes des lémures émergeront du Cocyte afin de prendre possession des corps vides et sans esprit des chèvres, des boucs et des moutons pour ensuite satisfaire leur envie de viande humaine. Par troupeaux, ils envahiront les forêts et les vallées en quête de nourriture. Les âmes de leurs victimes deviendront à leur tour des lémures afin de joindre cette grande farandole de souffrance et de mort. C'est ainsi que débutera la fin de toute vie dans le monde... Ce sera le premier des derniers jours, le grand réveil des ténèbres. »

Un silence de plomb tomba sur le conseil.

— Les barbares ont réussi ce que personne avant eux n'avait même envisagé, continua Rotto. Ils ont invoqué le réveil des lémures et les dieux leur ont accordé ce privilège. J'ai vu le premier d'entre eux, leur chef... Je l'ai vu attaquer sauvagement un des sorciers, qui pourtant l'implorait, et le dévorer vivant...

— Je vois..., fit Junos pensif. Une nouvelle menace plane sur ce monde et ce n'est apparemment pas la moindre !

— Si l'on en croit les écrits, continua Rotto, toutes les chèvres, les boucs et les moutons de ce royaume se transformeront en créatures hideuses aux sabots unguifères et aux cornes tordues. En troupeau, ils attaqueront les villes et les villages jusqu'à ce que le dernier humanoïde vivant se retrouve dans leurs estomacs !

— Pire que des lamassous ! pesta Junos.

— Je ne connais pas ces créatures, grand roi, mais soyez certain qu'il n'y a rien de pire qu'un lémure...

— C'est la vengeance des dieux..., dit un des forestiers de Tarkasis. Depuis qu'Amos Daragon, notre porteur de masques, a permis à la Dame blanche de reprendre le contrôle du monde, les immortels sont appelés à disparaître. Il semblerait bien que ceux-ci aient décidé de nous emporter avec eux.

— Et je crois qu'ils feront de Berrion leur point de rassemblement, précisa Rotto. Cette ville deviendra leur base d'où ils lanceront leurs attaques.

— Je connaissais cette prophétie, Rotto, dit Junos, car j'ai consulté à plusieurs reprises le livre que tu as volé et que tu vas, à l'instant, me remettre afin que je le rende à qui de droit !

— Vos désirs sont des ordres, Altesse ! fit l'homme-rat en présentant le bouquin. Je ne voulais pas vous déplaire, seulement vous aider...

— Partez, je dois réfléchir maintenant ! ordonna Junos. Pour l'instant, que vos troupes s'assurent de protéger le donjon uniquement ! Je ne veux pas d'attaques sur la ville, enfin, pas pour l'instant...

Chapitre 10
Le grand réveil

Le navire de Charon naviguait doucement, mais surtout lentement, depuis déjà quelques jours. À son bord, c'était le calme plat. Mordoc passait ses journées à jouer aux cartes avec Alior et Bois d'Orme pendant que Nellas et If de Brise s'entraînaient au tir à l'arc. Béorf râlait du matin au soir tellement son estomac le faisait souffrir, pendant que Lolya et Médousa, qui essayaient du mieux possible de l'éviter, élaboraient des plans de voyage pour leur retour. Jamais les deux copines n'étaient parties ensemble à l'aventure et cette éventualité leur plaisait énormément. Tout ce qu'elles avaient vécu avait toujours eu Amos comme point de départ ! Il était temps qu'elles s'affranchissent un peu de lui afin de faire ensemble un grand voyage. Il y avait tant de choses à voir dans le monde, tant de beauté et tant de merveilles.

— Tu as entendu parler de l'île des Sept-Cités, Médousa ? lui demanda Lolya. C'est apparemment un endroit extraordinaire où les habitants sont très ouverts d'esprit !

— Ils accepteraient une gorgone, tu crois ?

— Je ne peux pas te le garantir, mais je crois bien que oui... Écoute, j'ai entendu dire que c'était l'endroit idéal pour se reposer et se gâter un peu. Il y a des sources thermales extraordinaires où il est possible de se laisser tremper pendant des heures. Des auberges offrent même des séjours de grand luxe dans des bassins remplis de petits poissons qui se nourrissent des peaux mortes de baigneurs. Apparemment, on en ressort transformé!

— Ce serait bien d'y aller avant ma mue annuelle! s'échappa Médousa. Oups... euh, je veux dire que...

— Tu mues? s'étonna Lolya. Tu changes de peau comme un serpent?

— SHUUUUT! fit Médousa. N'en parle à personne... c'est un sujet délicat chez les gorgones.

— Ah oui, mais je... je ne savais pas, désolée... Ah! Je comprends maintenant pourquoi tu pars en mer une semaine tous les étés afin de rencontrer tes s'urs... c'était un prétexte! En réalité, c'est le moment où tu changes de peau!

— Oui, exactement, avoua Médousa. Je deviens si horrible, boursouflée et galeuse, que je n'ai vraiment pas envie qu'on me voie dans cet état... surtout pas Béorf! Toute ma peau tombe en lambeaux et je dois demeurer sous l'eau afin de me protéger des rayons du soleil. Je te jure, je me transforme en monstre!

— C'est aussi pour cette raison qu'à ton retour, tu te baignes aussi souvent?

— Oui, de dix à douze fois par jour la première semaine, puis mes bains de mer vont en décroissant, expliqua la gorgone. Je n'en prends presque plus en automne, ma peau étant redevenue suffisamment épaisse. Et le processus recommence! Heureusement, car juste avant ma mue, j'ai la peau aussi épaisse et solide qu'une armure de cuir, ce qui me restreint énormément dans mes mouvements.

— Eh bien, moi qui croyais que nous n'avions plus de secrets! rigola Lolya. Je ne savais pas que ma meilleure amie muait comme un vulgaire serpent!

— Et moi, je ne savais pas que tu étais possédée par un démon parasite depuis plusieurs années! la taquina la gorgone.

— Oui, nous avons chacune notre part de mystère, pouffa Lolya. Enfin, il vaut mieux muer qu'être possédée, crois-moi!

Plus loin, Alior aux Dents rouges venait de perdre sa douzième partie de cartes.

— Mais c'est impossible de gagner ainsi, Mordoc! fit-il en colère. Tu triches, c'est certain!

— Je n'ai jamais triché, s'amusa Mordoc, ce n'est pas nécessaire de le faire lorsqu'on joue avec des partenaires qui ont si peu de talent!

— Moi, je n'ai pas de talent aux cartes? se fâcha Bois d'Orme. J'étais le meilleur joueur de tout le bois de Tarkasis. J'arrivais même à battre des fées qui avaient le don de deviner mes cartes avant chacun de mes coups! Je suis d'accord avec Alior ; si nous perdons chaque fois, c'est qu'il y a anguille sous roche.

— Mais pourquoi tricher? se braqua Mordoc. Nous misons des clous rouillés et des bouts de chandelles ! Si nous jouions pour de l'argent, des bijoux ou des pierres précieuses, je ne dis pas, mais là, vous voyez bien, il n'y a pas à s'enrichir !

— C'est l'honneur, ici, monsieur le chef des voleurs de Bratel-la-Grande, qui est en jeu ! s'emporta Alior.

— Le chef des VOLEURS de Bratel-la-Grande ? Le chef des AVENTURIERS de Bratel-la-Grande ! précisa Mordoc avec insistance.

— Mais voyons, mon pauvre Mordoc, tout le monde sait que tes aventuriers sont en fait une bande de voleurs à la tire, de coupe-jarrets et de petits brigands ! s'exclama Alior dans un grand rire. Il n'y a pas un seul de tes hommes qui possède la moindre idée de ce qu'est l'honneur et le mérite ! Aucun de tes aventuriers ne s'est jamais battu pour défendre un idéal ! Vous ne travaillez que pour vous en mettre plein les poches !

— C'est bien la réputation que vous avez au bois de Tarkasis, appuya Bois d'Orme. Il paraîtrait même que vous protégez des assassins notoires comme Yan le Corbeau ou Rotto dit le rat ! Est-ce bien vrai ?

— Votre problème, à vous, forestiers de Tarkasis et chevaliers de Berrion, c'est que vous êtes de fieffés hypocrites ! les railla Mordoc. Mes amis, les aventuriers de Bratel-la-Grande et moi sommes les éboueurs de votre société de bien-pensants aux belles et grandes valeurs ! Bien sûr, vous respectez la paix et l'ordre en plein jour, mais quand les ténèbres tombent sur vos villes et vos petites histoires politiques, qui appelez-vous pour effectuer le sale travail ? Eh bien... nous ! Ce sont les aventuriers de Bratel-la-Grande qui éliminent discrètement vos ennemis, qui entrent chez vos détracteurs afin de les espionner, qui volent subtilement les trésors dont vous avez besoin et, finalement, qui règlent POUR VOUS, dans l'ombre, ce que votre sournoiserie refuse d'admettre. Vous croyez tellement en votre supériorité que vous ne m'accordez même pas le bénéfice du doute aux cartes ! Je gagne, donc je triche ! Quelle belle logique de malicieux prétentieux !

— LÉMURES EN VUE ! hurla Charon aux commandes du navire. PRÉPAREZ-VOUS À DÉFENDRE LE BATEAU !

— Nous reprendrons cette conversation plus tard, mon cher Mordoc ! fit Alior en dégainant son épée.

— Avec grand plaisir, chevalier Alior ! lui répondit-il en l'imitant.

Aussitôt que le l'avertissement fut lancé, Lolya bondit sur le grimoire de Baba Gaya et ordonna à tous les passagers de s'approcher d'elle. Préparée depuis un bon moment parce qu'avertie par l'intuition de Charon, elle demanda à chaque combattant d'exposer ses armes. De sa main droite, elle toucha chaque flèche, les arcs ainsi que toutes les lames, puis prononça une formule afin que ces armes puissent transpercer et trancher le corps vaporeux des lémures.

— Rappelez-vous, leur dit-elle ensuite, pour vous débarrasser d'un spectre d'une aussi grande force, il faut leur trancher la tête. Plus le combat avancera, moins vos armes auront de l'effet sur eux. À ce moment, vous devrez revenir vers moi afin que je les ensorcelle de nouveau. Ne vous entêtez pas à frapper plus fort ou à décocher plus de flèches si vous constatez que vos coups ne portent pas ! Est-ce bien clair ?

— Ça se mange, de la viande de lémure ? fit Béorf.

— AAAAH ! hurla Médousa, ce que tu peux me faire honte parfois !

— Ce n'est qu'une question ! se défendit le béorite. Une simple question, c'est tout !

— Quant à toi, Médousa, tu dois savoir que tous les spectres, les fantômes et les esprits sont insensibles à ton pouvoir de pétrification, lui indiqua Lolya. Pas de corps physique, pas de transformation.

— Oui, merci ! répondit la gorgone. Je m'en doutais bien !

— Pas de corps... donc pas de viande, résonna Béorf. Pfft ! Quel voyage de m...

— ILS SONT DERRIÈRE NOUS ! l'interrompit Charon. LES LÉMURES NOUS RATTRAPENT !

Alior en tête, tout le groupe se plaça à la poupe du bateau, prêt pour le combat. La lance d'Odin entre les mains, Béorf serrait les dents dans l'espoir de défouler sur les lémures sa rage et sa frustration. Les trois archers attendaient le bon moment pour décocher leurs flèches pendant qu'Alior et Mordoc, côte à côte, voyaient venir le danger.

— Je reste près de toi pour te protéger, dit Médousa à Lolya. Sans mon pouvoir de pétrification, je ne serai pas très utile dans cette bataille! Je me cache derrière toi, sous ma cape d'invisibilité. Si j'en vois un qui s'approche de toi, je lui tranche le cou avec ma dague.

— Excellente idée! fit Lolya. Donne-moi ton arme, je vais refaire un ensorcellement pour me rassurer!

Pendant ce temps, loin du Cocyte, Peck à l'Eau Claire délirait. Les yeux révulsés, il tremblait de tout son corps pendant que le faune essayait de lui parler.

— Ils arrivent, ils sont dans un nuage de rage et d'amertume, une fumée maudite de haine qui s'avance de plus en plus rapidement vers eux, hou là là! Mais ce n'est pas le bateau qu'ils veulent, ce ne sont pas les âmes des voyageurs qu'ils désirent, hou là, ils foncent vers la sortie! Ils foncent vers la grande pyramide de Braha, hou là là, et, par cet endroit, ils envahiront le monde! Il faut les prendre au filet! C'est l'unique façon de sortir de ce lieu!

— Mais de qui parles-tu, Peck? s'inquiéta le faune.

— Ce sont les lémures, il faut les prendre au filet! insista Peck. Tu comprends ce que je te dis, fille charbon! C'est votre unique chance de sortir... les suivre et les forcer à entraîner avec vous le bateau vers la sortie! Fille charbon!

Lolya fut soudainement prise d'un violent mal de tête et tomba sur ses genoux en poussant un cri. On aurait cru que quelque chose ou quelqu'un essayait de pénétrer ses pensées.

— Ça va, Lolya? lui demanda Médousa en se précipitant sur elle pour l'aider à se relever.

— Oui... oui, ça va! fit Lolya étourdie. Je crois que les lémures sont capables d'attaques mentales. Il faut absolument que j'avertisse les autres!

— Allons-y vite!

De la poupe, un imposant nuage gris était maintenant visible. Menaçant comme un orage, on pouvait y voir les formes vaporeuses des hommanimaux maudits. Oscillant entre leur visage humain et leur nature animale, ces âmes se comptaient par milliers.

— Il y en a beaucoup! fit Nellas. Vraiment beaucoup...

— C'est simple, commenta Bois d'Orme, nous serons complètement avalés.

— Mais avant, nous en tuerons des centaines! lança If de Brise, prêt à mourir.

— Attention! cria Lolya. Ces créatures ne nous feront pas de mal! Elles se rendent à Braha et nous devons les suivre! Surtout, n'engagez pas le combat!

— Mais qu'est-ce que tu dis? lui demanda Médousa. Comment sais-tu tout cela?

— Je ne sais pas, hou là là! lui répondit Lolya. Je sais seulement que je dois, hou là là, tendre des filets à la place des voiles! C'est ce que doit faire la fille charbon!

— Hou là là! s'inquiéta la gorgone. La fille charbon!

— Vite, changement de plan ! insista Lolya. Aidez-moi !

Lolya ensorcela de vieux filets de pêche pourris et tout troués et demanda à ses compagnons de les tendre à la place des voiles. Sans trop comprendre pourquoi Lolya demandait une telle chose, mais conscient que le monde des spectres était avant tout son affaire, le groupe s'exécuta rapidement sans poser de questions.

La man'uvre tout juste terminée, le nuage gris des lémures entoura le navire de Charon.

— Aucune violence ! insista Lolya. N'attaquez pas les lémures ! Ils ne nous voient pas, leurs yeux sont fixés vers la sortie, vers la pyramide, vers Braha, hou là là ! Ils sont nombreux n'est-ce pas ?

— Cesse de faire des hou là là, Lolya ! lui glissa Médousa à l'oreille. Tu m'inquiètes...

— Je te jure que je suis incapable de ne pas en faire..., répondit Lolya en haussant les épaules. C'est comme si... comme si j'avais quelqu'un dans la tête !

— AH NON ! explosa Médousa. Pas encore cette maudite possession !

— Ne t'inquiète pas, je te jure que c'est différent cette fois ! Ce que je ressens n'est pas négatif, bien au contraire !

Un à un, les corps vaporeux de lémures s'agglutinèrent autour des filets. Grâce à l'ensorcellement de Lolya, ils se gonflèrent comme des voiles en l'entraînant vers l'avant. Le nuage des spectres avait remplacé le vent et transportait avec lui le navire de Charon.

— Mais c'est brillant, cette idée! s'exclama Alior. Voilà que ces fantômes nous tirent avec eux!

— Les lémures nous portent, ça va, mais vers quelle destination? s'inquiéta Nellas. Je n'ai pas envie qu'ils nous transportent vers un précipice ou encore plus profondément dans les enfers!

— Nous allons avec eux à Braha, répondit Lolya. Ils se dirigent vers la sortie, vers la grande pyramide dans le grand désert de Mahikui! Avec eux, nous aurons une chance de sortir des enfers et du monde des morts.

— Mais comment sais-tu tout cela? la questionna Nellas.

— Je le sais parce que, hou là là... parce que..., balbutia Lolya. En vérité, je ne sais pas du tout! Ça m'est venu comme ça, une inspiration soudaine! Et je vous rassure, Aylol n'est pas revenue, ce n'est pas elle qui me souffle ces informations à l'oreille.

— Dommage, j'aurais bien aimé combattre les lémures, maugréa Béorf. Cela m'aurait fait oublier la torture...

— La torture, pfft! fit Médousa en se révulsant les yeux. Quelle mauviette!

— Tu ne peux pas comprendre, toi, mangeuse d'araignées! continua Béorf.

— Et si on en revenait à ce voyage? s'interposa Mordoc. Ainsi, nous sommes sauvés, c'est bien ce que tu nous dis, Lolya? Les lémures nous feront traverser vers le monde des vivants, c'est bien cela? Autrement dit, plus d'inquiétude à se faire, non?

— En effet, confirma Lolya. Grâce à ce nuage d'esprits malins, nous reverrons notre terre!

— Mais eux..., demanda Bois d'Orme soudainement inquiet, ces lémures, pourquoi remontent-ils vers les vivants ? Ils ont certainement une bonne raison !

— Oui, bien sûr ! lui répondit Lolya. Ils arrivent pour détruire le monde !

— Ah, sympathique ! ironisa Béorf.

Chapitre 11
Le retour du plaideur

Sig Deuf écoutait patiemment Amos. Celui-ci, animé d'une nouvelle énergie, parlait depuis bientôt une heure.

— Je comprends maintenant que les masques de pouvoir ont laissé des traces en moi et que ma magie n'est plus à l'extérieur de mon corps : elle est en moi. Comment dire... je ne peux plus commander à l'océan de m'obéir, mais si l'eau de ce même océan entre en contact avec mon corps, il devient une partie de moi ! Ainsi, je n'ai qu'à agir et l'eau deviendra une extension de ma pensée, de mon être. Je ne commande plus aux éléments, car les éléments sont en moi ! En fait, tout ce monde vit en moi !

Le nagas sourit. Son patient avait fait d'énormes progrès en très peu de temps.

— Par exemple, regardez ceci ! continua Amos. Avant que je perde mes masques, je demandais au vent de souffler et, d'un geste de la main, je pouvais déplacer l'air. Maintenant, pour faire se lever une brise, je tends la paume et...

La main d'Amos devint soudainement translucide, comme du cristal, et il s'en échappa un vent doux rappelant celui de l'été.

— Vous voyez, je fais corps avec l'élément..., poursuivit Amos. C'est fantastique! Jamais je ne me suis senti aussi en contrôle de mes pouvoirs!

— Est-ce là le nouvel Amos Daragon? demanda Sig Dreuf. Un héros... sssssss... transfiguré par la douleur qui comprend aujourd'hui que sa pensée est... sssssss... plus forte que tout?

— Oui, je crois bien...

— Le chemin de la sagesse n'est pas une route facile à... sssssss... à emprunter, continua Sig Dreuf, il s'agit d'un trajet parsemé d'embûches, d'échecs et... sssssss... de souffrances. Il est plus facile pour quiconque de renoncer à avancer que d'affronter les difficultés qui se... sssssss... présentent à lui. Il faut également savoir faire les bons choix, s'entourer de bonnes personnes, puis... sssssss... écouter avec modestie les conseils de ceux qui nous ont précédés sur cette route.

— Il faut également avoir de bons repères et les suivre..., dit Amos. J'avais perdu les miens... j'ai été faible.

— Oui, et tu en auras... sssssss... d'autres encore. Il ne faut pas avoir honte de sa fragilité... sssssss... et de son égarement!

— Je crois que je suis prêt à partir d'ici! fit Amos, motivé. J'ai envie de revoir mes amis, de retrouver Berrion et d'aider Lolya à redevenir elle-même! Cette fois, j'en serai capable, je le sais! Et puis il y a le Sanctuaire des Braves à construire!

— Mais ce sera… sssss… pour plus tard, Amos ! fit Sig Dreuf. Tu n'es pas encore prêt ! Dois-je te rappeler que tu es condamné… sssss… à demeurer sur cette île jusqu'à ce que les dieux décident de ton sort ? La condamnation n'est… sssss… toujours pas levée !

— Je m'en fiche ! fit Amos. Ils n'auront qu'à essayer de m'attraper !

— Bonne idée ! le railla le nagas. Ainsi, il y aura d'autres… sssss… innocentes victimes comme Hermine, n'est-ce pas ? Après tout, ce n'est pas… sssss… de tes affaires si cette chasse à l'homme entre toi et les dieux tue… sssss… de pauvres gens !

Amos eut soudainement très honte. Dans l'euphorie de sa renaissance, il avait complètement oublié la mort d'Hermine et la souffrance que devait ressentir son père. Aussitôt, il baissa la tête et s'excusa de son manque d'empathie. Amos n'avait pas le droit de mettre la vie de ses semblables en jeu. Son insouciance avait déjà provoqué trop de dommages.

— Voilà pourquoi j'estime que tu n'es pas encore… sssss… prêt à quitter cette île ! dit Sig Dreuf. Tu partiras si tu le peux ou tu iras purger ta peine dans… sssss… les Champs Élysées, mais il n'est pas envisageable de remettre… sssss… la vie des mortels en jeu. Ils ont assez payé, tu ne trouves pas ?

— Oui, je dois prendre mes responsabilités et faire face à mon destin, approuva Amos. Ceci est entre moi et les immortels ! Il serait égoïste, peureux et mesquin de le voir autrement.

— Tant mieux, car ton plaideur... sssssss... est ici et il désire s'entretenir avec toi! conclut Sig Dreuf. Te sens-tu prêt à le recevoir et à entendre... sssssss... ce qu'il a à dire, même s'il s'agit de mauvaises nouvelles?

— Oui, je suis prêt!

Sig Dreuf fit signe au plaideur Hélory de Kermartin du groupe Mercury et Mercure et celui-ci le remplaça auprès d'Amos.

— Bonjour, maître Daragon, vous me reconnaissez, n'est-ce pas?

— Oui, vous êtes mon plaideur... Hélory de Kermartin.

— Ouf! J'avais peur que vous ne me reconnaissiez pas, car la dernière fois que nous nous sommes vus, vous aviez l'air plutôt malade, se réjouit le plaideur. Je vous retrouve en pleine forme et arborant un magnifique sourire! L'île Blanche vous aura fait du bien, c'est excellent!

— Je vous trouve trop poli! fit Amos. Vous avez de mauvaises nouvelles, c'est ça? Allez-y, je suis prêt.

Hélory de Kermartin se racla la gorge. De toute évidence, le plaideur marchait sur des œufs.

— Bon, récapitulons..., commença-t-il. En fait, j'ai réussi à faire casser la peine de réclusion éternelle à la prison du Tartare, ainsi qu'au bagne de Guéburah où vous attendaient les travaux forcés.

— Mais c'est une excellente nouvelle! sursauta Amos.

— Enfin... oui et non, continua le plaideur. Je suis arrivé, bien modestement, à prouver au grand conseil divin que... eh bien, que vous étiez un dieu ! Grâce à la malédiction de Béhémoth et de Léviathan, vous êtes devenu un immortel. Aussi, vous êtes bel et bien glorifié par un peuple et vos pouvoirs sont surnaturels ! C'est officiel, vous êtes désormais considéré comme un dieu !

— Je suis un dieu ? fit Amos. Mais je ne veux pas... j'ai déjà refusé cet honneur lors de ma visite à Braha !

— Imaginez, en plus, vous avez redonné la vie à une fleur, fit le plaideur. Alors même que les immortels vous observaient, voilà que vous accomplissez un miracle ! Seuls les dieux disposent du pouvoir de vie ou de mort... Voilà la situation : selon les règles du panthéon, vous êtes un des leurs... mais d'un autre côté, votre passé de porteur de masques et votre prise de position en faveur de la Dame blanche vous exclut automatiquement des mondes divins. Alors... la bonne nouvelle, c'est que la condamnation ne tient plus, car les dieux ne peuvent appliquer de tels jugements qu'aux mortels. Vous êtes donc libre de quitter cette île et également libre de circuler dans le monde des vivants. Cependant, les dieux ne peuvent pas vivre parmi les mortels, ils sont libres d'envoyer des avatars, des représentations d'eux-mêmes, mais sont exclus de la forme matérielle ! En fait, ils n'ont pas de matérialité ! Alors d'un côté, vous êtes libre de vivre parmi les mortels, mais vous devez savoir que votre corps se désintégrera complètement. D'ailleurs, le processus est déjà commencé. Vous n'avez plus de pied droit !

Amos constata avec stupeur que Hélory de Kermartin avait raison, son pied avait complètement disparu.

— Et comme aucun des univers appartenant aux dieux ne vous est ouvert, continua le plaideur, vous deviendrez un esprit errant, prisonnier entre deux mondes. En fait, ce qui vous attend est presque aussi terrible que la condamnation d'emprisonnement à laquelle vous faisiez face ! D'un côté, je vous ai libéré, de l'autre, je vous ai condamné !

— En fait, je suis un dieu, c'est bien cela ? J'ai le pouvoir de vie ou de mort, n'est-ce pas ?

— En effet !

— Alors je redonne immédiatement la vie à Hermine, je renvoie Béhémoth et Léviathan dans les enfers et je guéris Lolya de sa maladie ! dit rapidement Amos dont la jambe entière venait de disparaître. Selon vous, est-ce fait ?

— Votre volonté est toute puissante, fit le plaideur, je ne vois pas pourquoi il en serait autrement...

— Maelström ! lança Amos en formant une boule de communication avec ses mains. Va tout de suite au cimetière de Berrion et déterre Hermine, la fille du tonnelier. Accompagne-la ensuite au château et confie-la aux bons soins de Junos !

Paniqué, Amos constata qu'il n'avait plus de jambes.

— Et ça fait quoi, un esprit errant, à part errer ? demanda Amos à Hélory de Kermartin.

— Je crois que les esprits errants cherchent un passage afin de rejoindre le monde des vivants !

— Un passage... oui... bien sûr! Les âmes errantes cherchent un point de jonction... un lieu qui les relie au monde de vivants!

— En fait, précisa Hélory de Kermartin, personne ne sait vraiment... Je vous souhaite la meilleure des chances! Ce fut un honneur de vous représenter devant le conseil des dieux. Désolé... j'ai fait de mon mieux!

— Pas de mal! répondit Amos. J'aurais simplement aimé avoir un peu de temps pour digérer tout ça! Ou encore pour faire mes adieux! La vie est bien étrange, car le jour où je voulais disparaître de ce monde, j'étais condamné à y vivre et, au moment où je désire vivre, voilà que je disparais! C'est à n'y rien comprendre!

— Bon voyage, maître Daragon!

— Merci et dites à Sig Dreuf que je le re...

Amos venait de se dématérialiser.

Chapitre 12

Hermine

Lorsqu'Hermine ouvrit les yeux, elle se trouva dans le noir le plus complet. Couchée sur une planche de bois, elle tenta de se remémorer les derniers événements l'ayant conduite à se retrouver dans cette inconfortable position. Son c'ur s'emballa lorsqu'elle se revit en train d'embrasser Amos, mais la suite devint rapidement trouble. Assoiffée, elle tenta de se lever, mais se heurta violemment la tête sur quelque chose. Rapidement, ses mains confirmèrent ce qu'Hermine avait pressenti, elle était enfermée dans une boîte de bois ! Et ce cachot ressemblait fort à un... un cercueil !

La prisonnière hurla de toutes ses forces, mais ses cris retombèrent vers elle, étouffés par la terre qui l'entourait.

— Mais qu'est-ce que je fais ici ! Je ne suis pas morte ! Au secours ! Aidez-moi !

Hermine fut prise par une violente crise de panique et elle frappa les parois de son cercueil à s'en briser les os des mains. Puis elle constata que son agitation ne servait à rien et gaspillait inutilement l'air.

— Je dois penser et me ressaisir, fit-elle. Comme je ne suis pas enterrée depuis trop longtemps, la terre au-dessus de moi doit être encore friable. Si je réussis à ouvrir ce cercueil, ce sera un avantage ! Je dois donner de petits coups afin de déclouer le couvercle et taper la terre au-dessus de moi. Une fois cette tâche accomplie... mais, ce bruit ! On dirait que... mais on creuse !

Debout sur la tombe d'Hermine, Maelström avait entrepris de la libérer. Aussitôt le message d'Amos reçu, il avait parcouru la distance entre la porte des enfers et le cimetière de Berrion en un temps record. Comme une flèche, le dragon avait atterri en face de la pierre tombale et, imitant le chien à la recherche d'un os enseveli, creusait avec vigueur.

Il ne fallut à Maelström que quelques secondes avant de rayer le couvercle du cercueil de ses griffes, puis de l'extraire de son trou. Sans aucun mal, il ouvrit d'un coup de patte la prison d'Hermine et libéra enfin celle-ci.

Mais la pauvre fille n'était pas au bout de ses peines, car lorsqu'elle vit le dragon, elle hurla de plus belle, mais cette fois parce qu'elle était convaincue que le monstre la libérait pour en faire son déjeuner. Ce n'était pas la première fois qu'elle voyait Maelström, mais d'aussi près, oui. Habituée à être vue en train de voler au-dessus du château, la créature n'avait pas coutume d'aller visiter les habitants de la ville.

— Va-t'en, sale bête ! lui cria-t-elle, complètement hystérique.

De son côté, Maelström, étant timide et ne désirant faire de mal à personne, n'avait pas l'habitude de côtoyer des citoyens de Berrion. La pauvre bête surprise fit un bond en arrière, ce qui fit renverser le cercueil. Hermine tomba alors face première dans sa propre fosse.

Par trois fois, la fille du tonnelier essaya de s'extirper de sa fâcheuse position, mais elle ne réussit qu'à s'enliser chaque fois un peu plus. Captive de son trou, elle arrêta brusquement de bouger. Enterrée jusqu'à la ceinture, Hermine ne pouvait plus se sortir par elle-même de cette mauvaise position. Consciente qu'elle était maintenant à la merci du dragon, elle ne trouva rien de mieux à faire que de pleurnicher.

Lentement, Maelström surplomba de sa grosse tête la fosse d'Hermine. Il tenta d'esquisser un sourire afin de rassurer la jeune fille, mais le mouvement de sa bouche dévoila ses énormes crocs pointus. De nouveau apeurée, Hermine hurla de toutes ses forces.

— Bonjour Hermine, je suis un...

La fille du tonnelier poussa une série de cris aigus comme si on lui transperçait les pieds avec des aiguilles.

— Je suis le petit frère d'Amos Daragon et c'est lui qui m'a...

Hermine continua de plus belle, cette fois en se bouchant les oreilles. La pauvre n'était pas très courageuse, mais elle avait de la voix.

— Je ne suis pas là pour te...

Épuisée, Hermine se tut enfin.

— Bon, voilà qui est mieux, continua Maelström sur un ton d'une excessive douceur. Alors, je te disais que je suis là pour te ramener à Berrion. Tu étais morte et c'est Amos qui...

L'évocation de la mort eut pour effet de recharger Hermine et de déclencher une nouvelle série de cris d'alarme.

— Bof, se dit le dragon. Je ne vois pas pourquoi je tente de me faire comprendre et de lui expliquer ce que je fais ici! Allons à Berrion et nous verrons bien!

Sans aucune précaution, Maelström étira la patte, saisit le corps d'Hermine et décolla vers le château. L'ombre du dragon sur la ville fit aussitôt trembler les barbares. Jamais ils n'avaient vu une telle bête! Ce qui venait à la rescousse de Junos n'était pas une petite créature, mais un monstre d'une autre époque, un survivant de l'ère oubliée des Grands Anciens.

Cors et trompettes accueillirent l'arrivée du dragon qui se posa, comme à son habitude, dans la cour intérieure du château.

— Tu es en retard, Maelström! lui reprocha Junos à la blague. Nous avons déjà sécurisé l'enceinte du château, il ne reste plus qu'à récupérer la ville!

— Amos m'a envoyé un message et m'a demandé de te la laisser, dit le dragon en déposant le corps d'Hermine, évanouie, aux pieds de Junos.

— Comment! sursauta Junos. Tu as vu Amos et Hermine, par tous les dieux, mais elle respire! Elle est vivante! Mais par quel prodige?

— Tu veux que je m'occupe des méchants qui sont dans la ville, grand-père Junos ? demanda candidement le dragon. Si tu veux, je les ferai tous griller avec plaisir ! Je n'aime pas les méchants... Ils sont beaucoup trop... méchants !

— Ce qui nous arrive là, mon grand Maelström, est une bénédiction ! lança Junos en lui caressant le nez. Pour l'instant, tu ne feras rien... j'ai un plan ! Qu'on me fasse quérir Rotto au plus vite ! Dépêchez-vous, je désire rapidement le voir !

L'homme-rat n'était pas loin et c'est avec attention qu'il reçut les indications de Junos.

Plus riche de quelques pièces d'or, l'assassin descendit aux oubliettes du château où, par quelques passages secrets creusés de ses mains, il déboucha sous une maison abandonnée de Berrion. De là, il sortit de la chaumière comme s'il y habitait et commença à rechercher le tonnelier, le père d'Hermine.

Il le trouva dans une petite auberge épargnée par les barbares où, attablé avec quelques commerçants désespérés, il conversait à voix basse.

— Écoutez... je n'en peux plus, disait un aubergiste en pleurs. Ils ont tout dévalisé ! Je n'ai plus rien à vendre et toutes mes chambres sont à refaire. Ces barbares m'ont tout pris ! Et je n'ai pas eu droit à un écu en retour. Leur chef m'avait promis de me donner de l'argent afin de tout réparer, mais lorsque je lui ai demandé quand il prévoyait me faire le paiement, il s'est moqué de moi et a menacé de tuer ma femme ! C'est intolérable... je suis complètement ruiné...

— C'est offert par la maison! dit une serveuse en déposant un tonnelet de bière sur la table. Servez-vous, les verres sont ici.

La tablée salua la générosité du patron et retourna bien vite à ses jérémiades.

— Pour ma part, fit le forgeron, je travaille jour et nuit pour eux! Je dois retaper toutes les armes, réparer les cottes de mailles et maintenant, ils me demandent de fabriquer deux fois plus de lames, car ils attendent des renforts... J'ai pu m'échapper de ma forge, car j'ai six apprentis qui se relayent en tout temps! Et c'est ainsi pour toutes les forges de Berrion! Elles tournent à plein régime! C'est simple, bientôt nous manquerons de fer!

— Je ne crois pas, le contredit un négociant en minerais, les barbares se sont emparés des mines de Jouy, Puy et d'Houille-en-Plaine. Les mineurs y sont devenus des esclaves et eux aussi, mon ami, travaillent jour et nuit pour satisfaire nos nouveaux dirigeants.

— Tout ça, c'est de ma faute..., pleurnicha le tonnelier. Je n'aurais pas dû laisser entrer ces fichus barbares dans Berrion, mais nous avions besoin d'aide pour organiser la révolte! Le gouvernement de Junos est corrompu et Amos Daragon a tué ma fille! Ce méfait ne pouvait pas rester impuni!

— Peut-être, oui..., continua l'apothicaire, mais nous échanger des escrocs contre des tyrans! Au moins, sous le règne de Junos, nous pouvions commercer librement et même faire de l'argent. Mais aujourd'hui, nous sommes devenus des jouets pour les barbares et ceux-ci nous pillent comme bon leur semble. Il n'y a plus d'ordre et de justice !

— La seule justice qui existe en ce monde, c'est la mort ! lança Rotto du fond de la salle. Les riches, les pauvres, les forts aussi bien que les puissants n'y peuvent rien ! Pas moyen de négocier avec la mort, elle est plus forte que tout !

Les commençants et artisans s'interrogèrent du regard. Qui pouvait bien être ce petit bon-homme dont la capuche voilait le visage ?

— Au fait, poursuivit Rotto, votre barillet de bière n'était pas vraiment offert par la maison : il était de moi !

— Eh bien merci ! répliqua le tonnelier. Main-tenant, laissez-nous à nos affaires.

— Oui, mais depuis que vous avez bu de ce barillet, vos affaires sont mes affaires... enfin, si vous désirez toujours faire des affaires demain. Quelle affaire !

— Qui êtes-vous et que nous voulez-vous ? demanda l'apothicaire impatienté. Vous êtes avec eux, vous êtes avec les barbares, n'est-ce pas ?

Rotto rigola. Puis il se leva et marcha lente-ment vers la porte en disant :

— J'ai de bonnes et de mauvaises nouvelles ! La première concerne la fille du tonnelier qui est pré-sentement au château et bien vivante...

— C'est impossible ! se buta l'homme. Je l'ai enterrée !

— Offrez-vous une visite au cimetière dans ce cas... Vous verrez qu'il y a un gigantesque trou à l'endroit de sa sépulture et qu'elle n'y est plus ! La deuxième bonne nouvelle est pour vos gueules, les copains, car Junos vous pardonne et demande à toute la population de Berrion d'entrer en douce dans l'enceinte du château. Notre souverain s'apprête à reprendre la ville et ne veut faire aucun mal à sa population.

— Mais qui avertira la population? demanda l'aubergiste. Avec tous ces barbares en ville, l'aventure sera risquée!

— Mais c'est vous qui allez accomplir cette tâche, mes amis, répondit Rotto en déposant sa petite main sur la poignée de porte. Et vous commencerez cette nuit! Il faudra que tout le peuple de Berrion soit en sécurité avant l'aube.

— Et c'est vous qui allez nous forcer à le faire? railla le tonnelier. J'espère que vous avez de nombreux amis!

La table des valeureux bavards s'anima de quelques rires moqueurs et de petits commentaires désobligeants envers Rotto.

— Oui, c'est moi qui vous y obligerai! rigola à son tour l'homme-rat. Laissez-moi vous enseigner une leçon: la véritable force d'un homme n'est pas dans ses muscles, mais plutôt dans son esprit! J'ai empoisonné la bière que vous avez bue et vous serez mort demain, à midi. À moins, bien sûr, que je ne vous donne l'antidote, ce que je ne ferai avec plaisir que lorsque toute la population de Berrion sera en sécurité dans le château.

— J'exige de voir ma fille avant! ordonna le tonnelier.

— À partir de maintenant, ce n'est pas vous qui établissez les règles, tonnelier, c'est moi ! Vous désirez la revoir ? Très bien, alors rachetez-vous ! Vous enverrez les habitants à la petite maison abandonnée du fond de la rue des Mangoustes. Le bâtiment est relié par un tunnel aux oubliettes du château. Les chevaliers de Berrion attendent déjà les premiers Berrionais afin de les conduire en sécurité. Partout sur les toits, quelques dizaines d'archers sont prêts à transpercer le premier barbare qui oserait s'aventurer dans la rue. Me suis-je bien fait comprendre ?

Les hommes opinèrent du bonnet. De toute évidence, ils n'avaient pas le choix.

— Aussi, continua Rotto, rappelez-vous toujours la bonté et la clémence de votre souverain Junos, car si je gouvernais cette ville, je vous aurais fait pendre publiquement pour haute trahison. Demain, à l'aube, je distribuerai l'antidote à ceux d'entre vous qui auront manifesté le plus d'enthousiasme dans leur travail ! Je vous surveillerai... Vous avez les salutations de Rotto le Rat, ainsi que des aventuriers de Bratel-la-Grande ! Au travail maintenant !

À l'évocation du nom de Rotto le Rat, les yeux s'écarquillèrent autour de la table. Rotto était de loin l'assassin le plus connu du royaume des Quinze. Si celui-ci avait dit que la bière était empoisonnée, c'est qu'il ne s'agissait pas d'un canular. Il valait mieux le prendre au sérieux et ne pas tenter de ruser avec lui.

Aussitôt, le tonnelier quitta la table et fonça en ville pour accomplir sa mission. Il fut rapidement suivi de ses amis qui se répartirent rapidement, mais précautionneusement, dans Berrion.

Déjà, après quelques minutes seulement, les premiers Berrionais tournaient le coin de la rue des Mangoustes afin de rejoindre le point de rendez-vous. Accueillis par des chevaliers de Berrion, les rescapés étaient regroupés et guidés dans le passage secret. Arrivés au château, ils étaient tout de suite pris en charge par les guérisseurs et apothicaires du royaume afin de vérifier leur état de santé. Les malades ou blessés étaient installés dans une salle prévue pour les recevoir, alors que les autres étaient invités à passer aux cuisines pour se nourrir avant de prendre place sur des lits de fortune dans les vastes couloirs ou pièces du château.

En ville, sur les toits de la rue des Mangoustes, des dizaines de forestiers de Tarkasis, presque invisibles dans l'ombre, assuraient la sécurité du passage. Au sol, rôdaient des aventuriers de Bratel-la-Grande, bien armés et prêts eux aussi à régler d'éventuels problèmes.

Lentement, des familles complètes commencèrent à affluer. Emportant avec eux chiens et chats, oiseaux en cage ou biens précieux, leurs déplacements attirèrent inévitablement l'attention de quelques barbares. Les plus curieux commencèrent à les suivre, mais dès qu'ils empruntèrent la rue des Mangoustes, ceux-ci furent criblés de flèches et leur corps tout de suite emporté dans une ruelle adjacente. L'opération, exécutée dans un silence quasi religieux, ne se fit pas remarquer. Les forestiers de Tarkasis avaient tiré avec précision sur leurs cibles, les aventuriers de Bratel-la-Grande s'étaient emparés des corps avant même qu'ils ne tombent au sol. Précision dans la man'uvre et perfection dans l'exécution, c'était une combinaison gagnante !

Gagnante sur toute la ligne, car au matin, les derniers Berrionais se glissaient dans le passage que les chevaliers de Berrion s'apprêtaient à condamner. Le dernier à s'y glisser fut Rotto le Rat, sourire aux lèvres, et dont la mission venait de s'achever. Junos lui avait fait confiance et l'assassin avait livré la marchandise. Bien que ses techniques de persuasion ne soient pas orthodoxes, le plan avait cependant très bien fonctionné.

— Qu'importe la manière, se félicita Rotto, l'important c'est le résultat ! D'ailleurs, je vais voir comment mes commissaires se portent après une bonne nuit de travail. Ils doivent être impatients de recevoir leur antipoison.

Dès que Rotto déboucha dans la cour intérieure du château, il fut prestement accueilli par le tonnelier et sa bande, le suppliant de leur administrer l'antidote. Mis au courant du stratagème de l'homme-rat pour les faire travailler, Junos invita Rotto à s'approcher de lui.

— Mon roi, fit Rotto en s'inclinant, la mission est accomplie, le peuple est ici, avec vous, et en sécurité !

— Oui, une belle réussite Rotto ! le félicita Junos. Cependant, on m'a raconté la manière cavalière dont tu t'es servi afin de motiver ces hommes au travail. Était-ce bien nécessaire de les empoisonner ?

— Votre Altesse, dit l'assassin, j'ai découvert que les êtres humains donnent toujours le meilleur d'eux-mêmes lorsqu'il s'agit de travailler pour une grosse somme d'argent ou pour éviter la mort ! Comme mes moyens étaient limités, j'ai choisi la deuxième option.

— Alors vas-tu leur administrer l'antipoison comme tu leur as promis ? s'inquiéta Junos.

— Je n'ai qu'une seule parole ! fit Rotto avec un sourire aux lèvres. Approchez-vous messieurs !

Aussitôt, le tonnelier et son groupe s'avancèrent vers Junos et Rotto.

— Comme vous êtes des traîtres ayant comploté pour détrôner Junos, dit Rotto, je laisserai le soin au souverain de décider de votre sort ! L'antidote est simple, je lui laisse le plaisir ou le déplaisir de vous l'administrer.

L'assassin chuchota alors quelques mots à l'oreille du roi qui explosa d'un rire bien nourri. En réalité, les pauvres bougres n'avaient pas été empoisonnés, Rotto avait menti.

— Tonnelier, approche-toi ! ordonna solennellement Junos. Et regarde-moi bien dans les yeux !

Comme un enfant apeuré, l'homme s'exécuta.

— Malgré ta traîtrise envers mon trône, je te pardonne ! dit-il. Voici l'antidote !

Junos s'élança et gifla le tonnelier de toutes ses forces.

— Te voilà guéri! s'exclama-t-il d'un ton sarcastique. Au suivant!

Sonné et humilié, le tonnelier se retourna et vit sa fille, Hermine, bien vivante à quelques pas de lui. Rempli de joie, il fonça vers elle, bras ouverts, pour la cueillir. Là encore, il fut reçu par une gifle qui l'étourdit.

— On m'a dit que c'était toi qui avais accusé Amos Daragon de m'avoir tuée! fit Hermine en colère. J'ai entendu dire que tu l'avais discrédité devant toute la ville en affirmant que ses intentions étaient malsaines à mon égard! Est-ce bien vrai?

— Euh, enfin..., balbutia le tonnelier. Je ne pouvais pas savoir... et les preuves...

— QUELLES PREUVES? s'enragea Hermine. Encore une fois, voilà que tu te mêles de ma vie et de mes fréquentations! Amos Daragon est un gentleman et il s'est comporté avec moi en véritable prince. Jamais il n'a été déplacé avec moi et si nous nous sommes embrassés, c'est parce que je suis moi-même allée chercher ce baiser!

— Tu as embrassé le prince!

— OUI, PÈRE, JE L'AI EMBRASSÉ! Et je recommencerais n'importe quand s'il me le permettait! Amos n'a rien à voir dans les événements qui ont provoqué ma mort et c'est apparemment grâce à lui si je suis revenue à la vie! Lorsqu'il sera de retour, j'espère que tu lui feras des excuses, car je n'ai jamais eu dans ma vie un cavalier de cette qualité et j'ai bien l'intention qu'il me réinvite à la danse un de ces jours!

— Mais je ne… je ne savais pas…

— Lorsqu'on ne sait pas, père, on n'échafaude pas de théories stupides et infantiles! À cause de toi, Berrion est remplie de barbares et bientôt, ce seront les lémures qui viendront nous visiter! Tu sais ce que c'est un LÉMURE?

— Euh… non.

— Eh bien, moi non plus, mais on dit que c'est terrible à voir et que ce sont des cannibales! C'est le début de la fin du monde, et tout ça, à cause de tes théories du complot! Junos est un véritable sage et un homme intelligent et plein de bon sens! Quant à Amos, tu ne mérites même pas de nettoyer la poussière de ses bottes!

— Tu es dure avec moi, Hermine… je ne voulais que venger ta mort! fit le tonnelier. Je t'aime tellement, ma fille… j'étais désespéré… ta perte a été si soudaine que j'avais besoin de trouver un coupable.

— Moi aussi, je t'aime papa, mais je suis déçue de ta conduite!

— Pardonne-moi.

— Tu l'es…, fit Hermine en essuyant deux grosses larmes sur ses joues. Maintenant, serre-moi fort dans tes bras! Cette aventure est la pire chose qui me soit arrivée dans la vie… et je… j'ai eu tellement peur…

Le tonnelier enlaça sa fille. Joue contre joue, l'homme pleura de bonheur en serrant contre lui la perle de ses jours, la lumière de sa vie qu'il croyait à jamais éteinte.

— Tu pourras revoir Amos si tu le veux…

— Je n'ai pas besoin de... de ta permission, fit Hermine haletant entre le rire et les pleurs. Notre histoire a bien mal commencé et je ne crois pas avoir la force de partager la vie mouvementée d'un prince...

— Ce sera comme tu le désires, lui dit le tonnelier.

— Je le sais..., répondit Hermine. Je le sais...

Chapitre 13
Hou là là

Amos ouvrit les yeux et regarda anxieusement autour de lui. Les feuilles de quelques fougères lui caressèrent le visage et le chant des oiseaux le rassura. Soulagé de ne pas s'être évaporé complètement, il se laissa retomber sur le dos en poussant un long soupir. Pendant un long moment, il savoura le bruissement des feuilles et se laissa porter par les clapotis d'un ruisseau qui coulait non loin de là.

— Je ne sais pas où je suis, ni ce qui m'attend, mais pour l'instant, je suis si confortablement installé..., pensa-t-il. C'est bien la première fois que je respire autant la nature... Les parfums sont si subtils et, en même temps, d'une rare violence. J'ai hérité d'un extraordinaire odorat !

En se grattant le nez, Amos vit que sa main droite avait changé de couleur et que sa peau était nettement plus épaisse. Très foncé, son épiderme alternait des tons de gris clair jusqu'au noir foncé. Ses ongles, jaunes et pointus, étaient aussi durs que la pierre.

— Bon..., soupira Amos qui en avait vu d'autres dans sa jeune existence. Mais qu'est-ce qui se passe encore ? Je devrais disparaître, me dissoudre, et me voilà devenu un monstre! La vie est décidément remplie de surprises!

Amos se releva pour constater qu'il s'était transformé en... korrigan! En fait, plutôt dans un type de korrigan aux oreilles plus longues, au corps plus fin et élancé.

— Dépêche-toi, Peck, nous devons partir! lança une voix un peu rocailleuse derrière Amos. Terminée, la sieste! La route est encore longue jusqu'au Sanctuaire des Braves!

— Oui! répondit Amos qui, rassuré par l'évocation du sanctuaire, se dit qu'il allait jouer le jeu de la mystification. J'arrive!

Un peu mal à l'aise dans son nouveau corps, Amos se releva, fit mine de s'étirer, puis se dirigea vers la voix. Quelle ne fut pas sa surprise de tomber face à face avec un faune à la barbichette blanche et aux yeux rieurs, un faune qu'il avait déjà rencontré, des années auparavant, dans les hautes montagnes du centre! Envoyé par son maître Sartigan afin d'y apprendre d'importantes leçons sur la peur et le contrôle des émotions, Amos avait adoré son séjour chez cet exceptionnel enseignant.

— Tu as bien dormi, Peck?

— Oui, assez bien, répondit Amos en enfilant un sac à dos qu'il devina être le sien.

— Pas de cauchemars? l'interrogea le faune. Rien sur ce bateau des enfers et sur l'arrivée des lémures?

— Non..., rien du tout!

— Et tu n'as rien d'autre à me dire?

— Tout va bien, nous pouvons y aller! fit Amos. Ces questions commençaient à déranger. C'est de quel côté?

— LES BONNETS-ROUGES! LES BON-NET-ROUGES! hurla soudainement le faune en s'agitant comme s'il avait le diable au corps.

Tout de suite, Amos laissa tomber le sac, s'empara du couteau de sculpture de Peck à sa ceinture et scruta la forêt, le dos contre un arbre, en position de défense. Ses réflexes venaient de le trahir.

— Pour un demi-korrigan qui n'a jamais combattu, rigola le faune, je te trouve soudainement très habile. Tu es d'une vivacité étonnante et ta technique me rappelle celle qu'enseignait autrefois, avant sa mort, un ami très cher. Alors, dites-moi, maître Daragon, vous jouez toujours aussi mal aux échecs?

— Me voilà repéré, maître Chu, désolé pour cette piètre performance, s'excusa Amos. Mais ce nouveau corps m'a un peu pris de court! D'ailleurs, je ne sais pas trop ce que je fais ici, ni pourquoi je l'habite! En ce qui concerne les échecs, je joue mieux, mais ne suis pas encore de votre calibre. Vos années d'expérience jouent en votre faveur...

— Tu veux dire que je suis vieux, c'est bien cela? questionna le faune.

— Vieux comme le monde et sage comme une pierre! le complimenta Amos.

— Dans mes bras, jeune maître Daragon! C'est un véritable plaisir de te revoir!

— Le plaisir est partagé, maître Chu!

— Tu te portes mieux?

— En fait, je... ce serait long à expliquer.

— Oui, je sais, je connais ton histoire, car Peck à l'Eau Claire, ton hôte, m'a tout raconté...

— Je suis Peck... Peck à quoi?

— Peck à l'Eau Claire, répondit le faune, une créature unique née de l'amour d'un korrigan et d'une fée. Tu es un être exceptionnel avec de grands pouvoirs de visualisation, de contrôle mental, de sublimation et même de divination! Mais aussi qui manque de discipline, d'instruction et de courage. De petites choses qui se corrigent avec l'aide d'un bon maître!

— Et où est Peck en ce moment? s'inquiéta Amos. Je suis dans son corps, mais je ne veux pas lui faire de mal!

— Il doit dormir au fond de toi, ou plutôt au fond de lui, enfin... son esprit est dominé par le tien qui est, sans nul doute, beaucoup plus fort.

À ce moment, Amos pensa à Lolya et se dit que c'est exactement ce qu'elle devait vivre. L'esprit plus puissant d'une autre créature s'était emparé de son corps et forçait sa véritable nature à sommeiller. L'expérience qu'il vivait aujourd'hui pourrait lui être utile afin d'aider son amie si, et seulement si, ses dernières volontés en tant que dieu n'avaient pas été réalisées.

— Il faudra m'expliquer, maître Chu, à quoi rime tout ce cirque!

— Oh, mais c'est le Sanctuaire des Braves, mon ami, qui nous guide... et derrière ce sanctuaire, il y a toujours notre dame préférée, notre mère Nature, la grande Dame blanche.

— J'aurais dû m'en douter..., fit Amos. C'est encore un de ses plans !

— En fait, maître Daragon, nous sommes tous des gardiens de l'équilibre du monde et, maintenant que les dieux ont décidé de se venger et de le détruire, notre tâche devient plus concrète, je dirais !

— Les dieux désirent détruire le monde ? s'étonna Amos.

— En effet, maître Daragon ! Il s'agit d'une conséquence directe des actions accomplies par les porteurs de masques. Plutôt que d'accepter leur sort, les immortels ont décidé d'en finir avec nous, les vivants...

— Mais comment peuvent-ils provoquer notre fin ?

— Les lémures, cher Amos, les lémures... Grâce aux barbares, les dieux ont pu réveiller une force incroyablement destructrice qui sommeillait dans les profondeurs des enfers, qui bouillait doucement dans les eaux du Cocyte.

— Jamais entendu parler.

— Ce que je sais, fit le faune, je l'ai appris des visions de Peck ! Celui-ci m'a raconté que les âmes des hommanimaux ayant un jour commis l'acte maudit de manger de la viande humaine allaient envahir le monde en intégrant les corps sans esprit des moutons, des chèvres et de quelques autres races d'ongulés sans conscience. Leur but ? Simple ! Manger tous les vivants !

— Rien que ça !

— Ni plus ni moins, répondit le faune en haussant les épaules. Nous voici dans une nouvelle ère où nos combats seront tous dirigés vers un ennemi commun, les lémures.

— Il n'y a pas moyen de les arrêter ? demanda Amos. Après tout, les circonstances ont fait de moi un dieu ! Si j'arrivais...

— Un dieu ne peut pas avoir une forme humanoïde, lui rappela maître Chu. En empruntant le corps de Peck, Amos Daragon est redevenu un mortel !

— Suis-je prisonnier de ce corps pour toujours ? s'inquiéta Amos.

— Je ne crois pas..., dit maître Chu, la Dame blanche ne permettrait pas que l'on fasse du mal à Peck à l'Eau Claire, tu ne crois pas ? Et si je nous faisais un peu de thé ? Je désirais reprendre la route rapidement, car voyager avec Peck est une épreuve de patience et de lenteur, mais avec toi, ce sera différent ! Il y a quelques minutes, j'estimais être en retard, maintenant, je suis en avance !

— Oui, prenons le temps de nous parler, maître Chu. Nous avons besoin de faire le point afin de bien réagir aux événements qui arrivent.

— Ce que j'aime le plus avec les maîtres que je rencontre, dit Chu en souriant, c'est la passion que nous partageons pour le thé... On dit que bien des démons partagent aussi cet enthousiasme pour les feuilles bouillies ! Comme quoi les mondes positifs et négatifs ne sont pas si loin les uns des autres.

— Peut-être pourrions-nous arrêter les lémures en leur offrant une bonne tasse de thé !, blagua Amos. Et quelques biscuits...

— Oh ! rigola Chu, quelle charmante idée ! Au lieu d'une bonne guerre, d'agréables salons de thé ! Une solution conviviale et beaucoup moins dangereuse !

Le maître commença alors sa préparation avec un soin délicat et une précision presque chirurgicale. Ce mélange de plantes, lorsque bien préparé, avait comme vertu d'améliorer le pouvoir de concentration et la vivacité d'esprit. Voilà pourquoi il était important de s'arrêter lors des moments de crise afin d'en déguster une tasse.

— Oh, un thé de litchi ! fit Amos avec ravissement. Un de mes préférés !

— Une belle saveur un peu acide, voire citronnée, n'est-ce pas ? commenta Chu. De jour ou de soir, c'est le passe-partout idéal ! De plus, on peut en boire une rivière sans compromettre son sommeil.

Bien installés sur le bord du ruisseau, les deux maîtres prirent quelque temps pour savourer leur boisson et badiner sur la jalousie, le pouvoir et la gloire, trois poisons qui rendaient souvent les êtres humains pires que des monstres. Ils évoquèrent Sartigan et s'amusèrent à relater ses défauts, ses entêtements, mais saluèrent aussi sa grande sagesse et applaudirent la vivacité de son intelligence. Amos partagea volontiers avec maître Chu ses égarements des derniers mois et lui révéla ce que Sig Dreuf avait fait pour lui. Il devait beaucoup à ce nagas qui l'avait forcé à prendre sa vie en main. Ce n'est qu'à la seconde tasse que les maîtres entrèrent dans le vif du sujet. Maintenant apaisés et bien concentrés, ils pouvaient aborder les problèmes à venir afin d'entrevoir déjà des pistes de résolution.

— Ainsi, synthétisa Amos, les lémures envahiront bientôt le monde. Selon vous, c'est inévitable, maître Chu ?

— Rien ne pourra retarder leur arrivée. Ne reste qu'à les combattre le plus vigoureusement possible.

— D'où la création du Sanctuaire des Braves, réfléchit Amos. Depuis le début, ce sanctuaire dédié aux grands héros de ce monde devait servir de lieu de repos et de prière, mais aujourd'hui, il sera un point d'entrée et de sortie pour les âmes de ces valeureux défenseurs de l'équilibre, n'est-ce pas ?

— Ils ont été punis et exclus des mondes divins, tout comme toi d'ailleurs, expliqua maître Chu, il serait donc normal que la Dame blanche ne les abandonne pas. Notre monde est en train de renaître et il faut le protéger ! Toi, Amos, tu es le souffle de vie, Peck est le bâtisseur et tes amis en seront les protecteurs.

— Alors le mieux que nous ayons à faire, c'est de bâtir au plus vite ce sanctuaire afin d'endiguer la menace des lémures ! conclut Amos. Ensuite, je retrouverai peut-être mon corps, qui sait !

— Ce sanctuaire sera une porte entre les mondes où les esprits pourront retrouver leur matérialité, comme tu pourras sans doute le faire, conclut maître Chu. Alors si nous y allions ?

Les yeux du demi-korrigan se révulsèrent soudainement. Un tressaillement lui secoua le corps puis :

— Hou là là..., fit Peck, c'est bien mauvais, cette boisson, on dirait de la pisse de chat !

— Pfft..., soupira le faune. Il est revenu, celui-là !

— Oui, je suis là et je les ai appelés !

— Qui as-tu appelé Peck ? demanda patiemment le faune.

— Ben, les korrigans et les fées ! Nous devrions arriver en même temps qu'eux ! Hou là là ! Il y aura du monde !

Chapitre 14
L'appel

Krill au Blé Droit travaillait à son potager lorsque soudainement, il arrêta de cueillir les limaces qui envahissaient ses choux afin de regarder la montagne. Les yeux fixés sur les neiges éternelles, il eut l'envie soudaine de l'escalader. Lui qui détestait les hauteurs, ressentait maintenant l'urgence d'empoigner ses outils et de se lancer à l'aventure.

— Mais voyons, fit le korrigan en s'ébrouant, pourquoi gravirais-je cette satanée montagne avec mes outils ? Cette idée est complètement saugrenue ! Je dois être fatigué, c'est ce maudit soleil qui me tape sur la tête !

Rapidement, Krill termina sa tâche, puis décida d'aller faire une petite sieste pour se reposer. Il entra dans son terrier, bien aménagé et parfaitement construit de ses propres mains, grignota quelques biscuits puis s'installa dans son fauteuil le plus confortable. Les pieds bien posés sur sa table de salon, Krill ferma les yeux, mais les ouvrit aussitôt. D'horribles images de korrigans dévorés vivants par des monstres à cornes de bouc le firent sursauter.

— Mais voyons! Quelles horribles pensées! s'exclama-t-il. Décidément, j'ai bien besoin de sommeil... ou d'un médecin. Allons mon Krill, calme-toi, respire bien et tu glisseras dans le... AAAAAH!

Encore une fois, les mêmes images venaient de le saisir. Puis cette envie irrépressible de grimper sur la montagne le reprit de nouveau.

— Mais que se passe-t-il ici? s'inquiéta-t-il. Quelqu'un m'a jeté un mauvais sort ou quoi? Pourtant, je n'ai pas croisé de sorcier depuis au moins douze hivers! Mes outils! Il me faut mes outils tout de suite!

Krill bondit sur ses pieds et courut jusqu'à son atelier.

— Ouf! Tout est là! fit-il. J'avais l'impression de les avoir perdus... ou qu'un voleur me... mais qu'est-ce qui me prend? Il me faudrait des vacances en montagne, voilà ce qu'il me faut! J'ai envie de voir le monde d'un peu plus haut! Et si je ne le fais pas, des vies seront en danger!

Encore une fois, Krill se trouva tout à fait incohérent dans ses pensées. Gravir une montagne ne sauvait pas des vies, encore moins avec des outils!

Tout à coup, Krill vit passer sur son terrain son voisin, Jouc de Roche dure, un maçon d'une rare habileté. Celui-ci avait un sac de voyage sur le dos et marchait, ses outils en main, en direction de la montagne.

— OH JONC! JONC! hurla Krill. Où vas-tu comme ça?

Jouc de Roche dure s'arrêta et se gratta la tête. Puis il haussa les épaules.

— En vérité, je ne sais pas trop ! répondit-il. J'ai l'irrépressible envie d'aller construire quelque chose dans cette montagne ! Un chalet peut-être... je ne sais pas trop encore, mais ce sera un gros bâtiment. L'air des montagnes me manque !

— Tu détestes les montagnes, Jonc, comme tous les korrigans ! lui fit remarquer Krill.

— Tu as raison, mais cette fois, c'est différent ! Je ne le fais pas pour moi... ce serait plutôt pour... comment te dire... en fait, je le fais pour sauver le monde ! Oui, c'est ça, je vais bâtir un chalet pour sauver le monde !

— Mais..., s'étonna Krill. Ce que tu dis n'a pas de sens !

— Oui, je m'en rends bien compte, mais... mais c'est plus fort que moi ! J'ai terriblement envie de marcher vers cette montagne. Allez, salut ! Tes légumes sont magnifiques, tu me garderas un peu de ta soupe au chou, je la prendrai à mon retour.

Krill rentra chez lui et se gratta de nouveau la tête. Tout comme lui, son voisin perdait lentement la boule. Le plus curieux, c'est qu'ils la perdaient tous les deux de la même façon.

— Je dois en avoir le cœur net ! s'emballa Krill. Je fais mon baluchon, j'emporte mes outils et je vais faire un peu de charpentes au-dessus de cette montagne ! Euh, mais non, je vais plutôt enquêter sur ce mystère !

Tout à coup, on cogna à la porte de la maison de Krill. C'était Grumo à Terre noire, son ami puisatier, qui frappait à sa porte.

— Salut Krill! fit-il. Tu me prêtes tes deux pelles pour quelque temps, j'ai un boulot à terminer et je ne crois pas pouvoir m'en sortir sans tes outils.

— Mes pelles, oui! lui répondit généreusement Krill, mais pas mes vilebrequins, ni mes scies, j'en aurai besoin!

— Parfait! se réjouit Grumo, je les prends dans ton atelier. On se voit là-bas?

— Où ça? demanda Krill.

— Ben, en haut de la montagne! Tout le monde du village est monté ou s'apprête à le faire!

— Mais pourquoi?

— Il paraît qu'il y a un sacré chantier là-bas! s'empressa de répondre Grumo. Et puis, on fait ce travail pour sauver le monde! Ça en vaut la peine, surtout si nous désirons que nos enfants aient un avenir.

— Mais qui t'a informé de ça?

— Je ne sais pas trop, je le sais, c'est tout! Et puis j'ai bien envie d'y aller...

— Tu pars pour combien de temps?

— Je ne sais pas! Comme toi, Krill, le temps qu'il faudra! Allez, je te quitte, mes affaires sont prêtes et je dois y aller, c'est urgent!

Krill ferma la porte de sa maison et s'installa confortablement dans son fauteuil préféré.

— Bon, se dit-il, tout cela n'est qu'un mauvais rêve... Bientôt, je vais me réveiller et la vie aura repris son cours normal. Je n'ai pas envie de me rendre sur cette montagne et pas envie non plus d'y construire une charpente en bois massif, taillée dans du chêne solide et bien odorant, ni non plus d'y travailler avec mes amis afin de construire le plus beau des sanctuaires que le monde ait jamais porté. Non, je n'ai pas envie de tout cela... j'aime mieux mes choux.

Les yeux bien ouverts, Krill continuait à parler.

— Oh non ! fit-il en bondissant sur ses pieds. Je n'ai vraiment pas envie de partir !

En même temps qu'il combattait son envie de gravir cette montagne, il termina son baluchon et s'éloigna en direction de son atelier afin d'y saisir ses outils.

— Pas question que je quitte ma terre ! grogna-t-il en enfilant ses vêtements de travail.

— Jamais je n'irai là-bas ! continua Krill, des provisions sous le bras.

— JE RESTE CHEZ MOI ! conclut-il son monologue en piquant à travers son champ en direction de la montagne.

Krill marcha ainsi une demi-journée en essayant de se convaincre qu'il était encore chez lui, dans son fauteuil préféré, attendant patiemment de se réveiller. Rythmant la cadence de ses pas à ses jérémiades, il avança rapidement vers le sentier où l'on commençait l'escalade de la montagne. Quelle ne fut pas sa surprise d'y découvrir des centaines de korrigans se suivant à la queue leu leu ! L'un derrière l'autre comme des enfants en excursion, ils gravissaient la montagne et disparaissaient dans les brumes de ses hauteurs. Parmi ces korrigans, il n'y avait que des artisans des différentes guildes se rapportant au monde de la construction, de l'excavation et du travail du bois. Krill y reconnut des spécialistes provenant de tous les villages des environs et d'autres hameaux situés à deux ou trois semaines de marche de la montagne. Impressionné, mais surtout emballé de participer à un tel regroupement, Krill rejoignit rapidement le sentier où, comme les autres, il se positionna dans la ligne des voyageurs. C'est ainsi qu'il gravit le sentier jusqu'à la tombée de la nuit.

Épuisé, Krill fut invité à se joindre au feu de camp d'une bande de korrigans provenant d'un lointain village du Nord. Il ne fut pas difficile de deviner leur provenance, leur accent trahissant trop bien le rythme plus chanté et mélodique des peuplades du grand lac.

Après quelques remerciements de courtoisie, Krill partagea avec eux ses provisions, ce qui en fit tout de suite un membre à part entière du groupe. Il joua aux cartes avec ses nouveaux amis et but en quantité modérée un alcool de carottes, une spécialité régionale. À minuit, lorsque la lune fut à son zénith, les korrigans entamèrent une complainte d'une grande beauté. Remerciant la Dame blanche pour les beautés du monde, cette chanson racontait les misères d'un korrigan qui avait tout perdu, sauf son amour immodéré pour la nature.

C'est à ce moment que le ciel s'illumina de centaines de lumières. Portés par le vent, les points de lumière gravissaient eux aussi la montagne.

— Cela fait des jours qu'elles nous accompagnent..., dit l'un des korrigans émerveillé. Elles montent avec nous! Je n'ai jamais rien vu d'aussi beau!

— Mais qu'est-ce que c'est? demanda Krill tout aussi admiratif. Ces sont des... des étoiles?

— Mais non, les étoiles sont beaucoup trop hautes! lui répondit son nouvel ami. Ce que tu vois, ce sont des fées! Nous voyageons le jour, elles voyagent la nuit. Dès que la lune est à son zénith, les fées se mettent en marche.

— Ce sont elles qui nous ont ensorcelés?

— Non, je crois qu'elles ont, tout comme nous, une irrépressible envie de gravir la montagne et d'y construire quelque chose. Elles sont si belles, si délicates et si gracieuses! Il y a de quoi tomber amoureux.

— Une fée et un korrigan? s'amusa Krill. C'est hautement improbable!

— Dans ce cas, jure-moi que si l'une de ces merveilles venait se poser sur ton épaule et te déclarer ton amour, tu l'enverrais paître comme un vieux putois?

— Non, avoua candidement Krill, je l'emporterais chez moi et je la marierais!

— Alors tu vois bien..., s'amusa le korrigan du Nord, rien n'est improbable dans ce monde, surtout lorsqu'il s'agit de beauté.

Krill s'endormit sous le magnifique spectacle de la migration des fées. L'esprit rempli de lumière et de bonheur, ses rêves furent parsemés de chants d'oiseaux et de parfums de fleurs. Lorsqu'il ouvrit les yeux, il se sentait reposé. Ses muscles, pourtant très sollicités la veille, s'étaient complètement régénérés. Krill était prêt à affronter une seconde épuisante journée d'ascension.

De très bonne humeur, il s'offrit un gargantuesque petit déjeuner puis reprit le sentier vers les sommets.

— Bonjour Krill, dit soudainement une toute petite voix juste à côté de lui. Ne me cherche pas, je suis sur ton épaule...

— Une fée..., pensa Krill bouche bée. C'est une fée...

— La nuit a été longue et difficile, fit-elle, tu veux bien me porter jusqu'à ce soir ? Mes s'urs ont pris de l'avance et je n'arriverai pas à les rejoindre si tu me refuses ton aide. Je ne suis pas très douée pour les déplacements en hauteur... je m'épuise facilement.

— Ce sera avec plaisir, répondit Krill enchanté, comment t'appelles-tu ?

— Humadéï et merci de ton aide !

— Il n'y a pas de quoi, d'autant que je ne sens pas ton poids !

— Je peux aussi changer de taille, blagua-t-elle, si tu veux te faire un peu de muscles !

— Non, ça ira..., dit Krill avant de murmurer pour lui-même : « toi, je te ramènerai chez moi et je t'épouserai. »

— Pardon ? s'interrogea la fée. Tu as dit ?

— Je n'ai rien dit, sourit Krill déjà amoureux, je n'ai absolument rien dit !

Chapitre 15
La sortie de Braha

La ville de Braha, capitale des morts et haut lieu du jugement dernier, s'étendait maintenant des deux côtés du Cocyte, un affluent du Styx. Toujours tiré par les lémures, le navire de Charon avançait lentement mais sûrement, en direction de la grande pyramide du centre de la cité. L'architecture de la ville avait peu changé depuis le passage d'Amos Daragon, si ce n'est que celle-ci comptait encore plus d'âmes sordides, corrompues et malades que jamais. Depuis l'effondrement des enfers, les jugements des damnés traînaient sur les bureaux des juges. Faute d'un lieu capable de les accueillir afin de purger leurs lourdes peines, on les envoyait parfois se perdre dans les abysses ou attendre quelques milliers d'années dans des plans d'existence secondaires. En attendant leur jugement, ces maudits passaient du bon temps à Braha. Ils envahissaient les pubs et les tripots, s'amusaient à piller les bonnes âmes, effrayaient les spectres les plus faibles et faisaient continuellement la fête. La paix sociale, autrefois stricte et bien encadrée, n'était plus maintenant que l'ombre de ce qu'elle avait été. Les forces de l'ordre de Braha étaient débordées et, chaque jour, bon nombre de gardes squelettiques quittaient leur poste parce que déprimés ou surmenés.

Mais la lumière de Braha, issue de la ville elle-même, n'avait pas changé. Des anges translucides volaient toujours au-dessus des toits en jouant des airs de trompette, mais les démons aux tambours qui, anciennement, accueillaient Charon en jouant des rythmes infernaux sur leurs gigantesques instruments, étaient rentrés chez eux pour s'occuper de leurs proches ou pour y reconstruire leur maison située dans les enfers.

Les fameux marchés de Braha existaient toujours et les palais avaient été, malgré la crise, bien entretenus. On brûlait toujours des offrandes destinées aux dieux dans des temples bourrés de fidèles en prière. Les valkyries chevauchaient toujours leur pégase, mais semblaient moins nombreuses que durant les belles années de Charon.

— Mais comment toutes ces âmes trouvent-elles leur chemin si Charon n'est plus là pour les y conduire? se demanda Lolya.

— Les morts trouvent maintenant leur chemin par eux-mêmes! lui répondit le capitaine qui avait entendu la question. Anciennement, tous les cimetières du monde étaient des ports où je m'arrêtais afin d'y faire monter les âmes. Maintenant que le Styx est presque à sec, les morts suivent à pied le lit de l'ancienne rivière qui débouche, après une épuisante marche, à Braha.

— Il est bien vrai que si le Cocyte n'alimentait pas un peu le Styx, commenta Médousa, nous ferions nous aussi un bout de voyage à pied. À certains endroits, on entend la coque du navire racler le fond !

— Braha ! s'emballa Charon. Quelle perle ! C'est une ville extraordinaire, remplie de contrastes et de merveilles ! C'est la cité des grandes déceptions, des miracles et des joies ! La ville des moins que rien et des âmes pures et cristallines ! Braha, oh Braha ! Voir Braha et mourir ? Non, mourir et voir Braha !

— Décidément, il est loquace aujourd'hui ! murmura Médousa à l'oreille de Lolya.

— Je dirais même qu'il est en forme, lui chuchota Lolya.

— Vous croyez que l'on pourrait arrêter quelques instants, capitaine ? demanda Béorf toujours aussi affamé. Je sens l'odeur de viande braisée...

— CE N'EST PAS MOI QUI DIRIGE, BOUGRE DE BÉORITE ! lui hurla le capitaine dans les oreilles. SI TU VEUX PRENDRE UNE PAUSE, IL FAUDRA QUE TU DEMANDES À TES PETITS AMIS LES LÉMURES !

— Ce ne sont pas mes amis, répliqua Béorf. Je n'aime pas les mangeurs d'humains !

— Pourtant, rigola Charon, cela ne t'a pas empêché d'y goûter, un jour où tu avais très faim, dans le désert de Mahikui !

— QUOI! sursauta Béorf. Je n'ai jamais mangé de viande humaine ! JAMAIS ! Je vous conseille de vous raviser immédiatement où vous allez le regretter !

— En es-tu si certain? rigola Charon de bon cœur. Tu l'as fait, mon ami! Tu as goûté à la viande interdite et tu as été condamné à errer en ours jusqu'à la fin de tes jours! Oh oui! Et tu aurais rejoint cette colonie de sales lémures si Amos, ton ami, n'avait pas fait un saut dans le temps afin que cette histoire n'existe jamais! Et toi aussi, chère Lolya, tu étais là, une draconite bien insérée dans le palais afin de te transformer en monstre!

Bouche bée, Lolya et Béorf se regardèrent avec circonspection. Les révélations de Charon expliquaient parfaitement pourquoi Amos avait exactement su quoi faire afin de sauver la vie de Lolya. Lors de leur première rencontre à Berrion, il lui avait tout de suite retiré une pierre maudite qui allait la transformer en dragon et faire renaître la race des Anciens.

— Vous semblez sonnés tous les deux, s'amusa Charon, mais sachez que si tout peut être effacé dans le monde des vivants, rien ne se perd à Braha parce que toutes ces réalités cohabitent les unes aux côtés des autres. Si les lémures acceptent de vous porter gentiment jusqu'à la pyramide, c'est parce que ces esprits maudits savent qu'ils entraînent un des leurs avec eux. En effet, ils emportent Béorf le lémure vers la sortie!

— On en apprend de ces choses en voyage! fit Médousa pour taquiner Béorf.

— C'est faux! s'entêta le béorite. Vous mentez comme un arracheur de dents! Je n'ai jamais fait une telle chose et je refuse de vous croire!

— Qu'importe que tu me croies ou non, pouffa Charon. C'est la vérité que je viens de te raconter ! Ça te coupe l'appétit, non ?

En effet, Béorf ne pensait plus à son estomac et semblait maintenant effrayé par les lémures. Il leva la tête et contempla longuement leur visage livide ainsi que leur bouche affamée. Les spectres étaient cornus et griffus, gris comme la pierre et fortement amaigris. Dans leurs traits étirés, on pouvait encore reconnaître les hommanimaux qu'ils avaient été. Il y avait beaucoup d'hommes-rats, des nagas et des hommoiseaux également, mais les béorites étaient aussi fort nombreux.

L'un d'eux, arborant le visage déformé d'un grizzli, se retourna vers Béorf.

— Tu aimes la croisière, petit frère ? lui murmura-t-il en explosant ensuite d'un grand rire sadique.

Béorf hurla à son tour et bondit se réfugier dans la cale du navire.

— Pourquoi lui avoir dit cela, capitaine Charon ? se fâcha Médousa. Pourquoi voulez-vous le torturer ?

— Pour qu'il ferme sa grande gueule de béorite affamé ! répliqua Charon. La vérité, ça change les idées.

— Vous êtes cruel, ajouta Lolya.

— Je suis comme je suis, petite hypocrite transie d'amour pour Amos Daragon ! lança Charon en pointant la jeune nécromancienne du doigt. Si tu le pouvais, tu égorgerais cette Hermine, ta rivale auprès d'Amos, sans le moindre remords. Tu sais, la fille avec qui il est allé danser alors que tu croupissais dans le fond de ta geôle, possédée par Aylol, à Berrion, c'est une fille envoûtante qui n'a pas hésité à l'embrasser!

— Mais comment savez-vous tout cela? se cabra Lolya.

— Je sais tout sur tous mes passagers, expliqua Charon, et je les place en face de leurs contradictions, de leurs mensonges, ainsi que de l'image idéalisée qu'ils ont d'eux-mêmes! Ne sommes-nous pas dans la ville du jugement dernier? L'endroit où toutes les hypocrisies et toutes les vérités sont bonnes à dire.

— C'est ça, oui! s'exclama Lolya. Si je dis que je ne m'ennuierai pas de vous, c'est la vérité ou je suis hypocrite?

— LÀ, MA PETITE MAGICIENNE, VOUS DITES LA VÉRITÉ! rigola Charon à en perdre haleine.

— Pfft! Quel être détestable! fit Médousa en s'éloignant de lui.

Braha demeurait la même, certes, mais elle avait perdu un peu de son lustre d'autrefois. Surtout pour ce qui est des bonnes manières de sa population. Dans le cas de Charon, cependant, il revenait plutôt à ses bonnes habitudes, c'est-à-dire parler sans réfléchir aux conséquences.

— C'est ici que vous reviendrez tous un jour, mes amis..., déclara à voix haute le capitaine qui jouait le guide touristique. À votre droite, le grand palais du jugement dernier, à votre gauche, le marché des bonnes intentions!

— Cet endroit est sordide ! commenta Mordoc. Il me donne la chair de poule…

— Plus la mort tardera, mieux ce sera ! approuva Alior. En tout cas, je demanderai à être enterré avec mon épée. Il est certain qu'elle servira ici !

— Je crois avoir repéré de vieilles connaissances, dit Mordoc. D'anciens compagnons de larcin... hum, ça porte à réfléchir !

Malgré l'agitation qui régnait partout dans la ville, le passage du nuage des lémures attisa la curiosité de la population. Une foule d'âmes errantes et de fantômes d'humanoïdes se massa sur les deux côtés de la rive. Rapidement, les spectateurs commencèrent à s'exciter, à applaudir et à encourager la lente marche des hommanimaux maudits. Hurlant comme des fous furieux, plusieurs morts-vivants s'amusèrent à tonitruer que la fin du monde des vivants était proche et que Braha exploserait à cause du surpeuplement. En effet, le passage des lémures était un des signes de la fin du monde, le premier d'une longue série de prophéties que répandaient depuis toujours les prophètes et les illuminés.

Charon leva le doigt dans les airs et pointa la grande pyramide.

— Voilà l'endroit vers où nous naviguons, mes amis, voici notre port ! Préparez-vous à faire le grand saut, car il y aura de la vague et des remous ! Si vous n'avez jamais vécu une tempête en mer, vous comprendrez ce que vivent les marins et prierez de toutes vos forces pour qu'elle vous épargne !

— Heureusement, nous avons un bon capitaine afin de nous conduire à bon port! ironisa Lolya.

— Désolé de vous décevoir, mais je ne serai pas du voyage! répondit Charon. C'est ici que je vous quitte, le monde des vivants n'est pas pour moi!

— Comment ça, il nous quitte? s'inquiéta Nellas.

— Mes hommages à Amos Daragon lorsque vous croiserez sa route! lança Charon, un pied sur le bord de son navire. Prenez bien soin de mon bateau, quoique dans le désert, il ne vous sera pas très utile!

D'un coup, Charon se lança dans les eaux du Cocyte et disparut sous les remous de son propre plongeon.

— Nous voilà sur un bateau sans capitaine! s'exclama Mordoc. Quelqu'un sait comment piloter ce navire?

— Je m'en charge, fit Alior en prenant les commandes. J'ai déjà été navigateur dans une ancienne vie et puis je connais bien le mouvement des eaux!

— Qu'arrivera-t-il lorsque nous arriverons à la pyramide? s'informa Bois d'Orme. Quelqu'un a une idée de ce que nous devons faire?

— Nous le saurons bien assez vite, fit Médousa. Je crois qu'il y a des remous droit devant!

— Accrochez-vous au navire! proposa Mordoc. Que ceux ou celles qui ont une corde en profitent pour s'attacher, je crois que nous passerons un mauvais moment!

Mordoc ne croyait pas si bien dire, car dès qu'il eût terminé sa phrase, le navire fut violemment secoué. Tellement qu'il faillit se rompre en deux morceaux.

Les lémures, toujours prisonniers des voiles ensorcelées par Lolya, accélérèrent soudainement la cadence. La pyramide était à moins d'une lieue et ils semblaient soudainement pressés de la rejoindre. La liberté, maintenant à leur portée, excitait en eux le désir de viande fraîche.

— Ne devrions-nous pas essayer de les arrêter ? fit Lolya en s'attachant solidement à la balustrade. Après tout, ces créatures provoqueront la fin du monde !

— Moi, je veux sortir d'ici ! lança If de Brise. On s'occupera d'eux une fois rentrés chez nous !

— Amos n'hésiterait pas à mettre sa vie en jeu afin de protéger les futures victimes de ces monstres ! insista Lolya.

— Et c'est précisément pour cette raison qu'Amos Daragon est si fantastique et que nous, nous ne le sommes pas ! répondit Mordoc. Je ne me sens pas concerné par le bien-être de tous mes contemporains ! J'en connais même qui mériteraient de se faire manger tout crus ! Alors...

Quelques violentes secousses firent tanguer dangereusement le bateau.

— Nous arrivons sous la pyramide ! hurla Alior. Je ne vois pas ce qu'il y a devant nous ! Il y a trop de brume !

— J'y vais ! lui répondit Médousa.

La gorgone, plus habile que les autres pour se mouvoir dans la turbulence, s'agrippa fermement aux cordages et grimpa afin de voir au-delà du brouillard qui s'était soudainement levé. Rapidement, Médousa comprit que le nuage de gouttelettes qu'ils étaient en train de traverser était provoqué par une gigantesque chute que le navire ne pouvait plus éviter.

— ACCROCHEZ-VOUS, hurla-t-elle, NOUS ALLONS PLONGER!

Le navire bascula d'un coup vers le bas de la chute, mais ne plongea pas vers le fond. Tiré dans les airs par les lémures, il s'envola plutôt en direction du centre de la pyramide où une gigantesque colonne de lumière se perdait dans l'infinité du ciel et dans les profondeurs insondables de la terre.

— Nous y voilà! s'exclama Lolya. C'est le passage!

— Et si nous étions plutôt avalés par le bas? s'inquiéta Mordoc.

— D'un côté ou de l'autre, ce sera une nouvelle aventure! lança Alior. Et dans cette armure, je ne crains pas la mort!

Les lémures pénétrèrent dans la lumière et, avec eux, tiraient le bateau volant vers le haut. Aveuglés par l'intensité lumineuse, les compagnons d'aventure se sentirent aspirés par une incommensurable force qui les projeta hors de la pyramide. Hurlant comme des damnés, ils surgirent dans le monde des vivants et s'écrasèrent en plein désert de Mahikui. Au contact de la terre, le bateau se fracassa en mille miettes, ne laissant que son armature visible.

Comme un essaim d'abeilles expulsées de leur ruche, les lémures se regroupèrent en nuage avant de se diviser et de fuir vers les quatre points cardinaux.

— Suis-je vivant? se questionna Mordoc, la tête bien plantée dans le sable. Je ne peux plus respirer... je ne respire plus...

Celui-ci se releva violemment.

— Maintenant, je respire..., fit-il en aspirant l'air chaud du désert. Nous avons réussi! NOUS AVONS RÉUSSI À SORTIR DES ENFERS!

Autour de lui, Lolya et Médousa revenaient lentement à elles, les archers du bois de Tarkasis ne semblaient pas trop en mauvais état et Alior, sur le dos comme une tortue prisonnière de sa carapace, riait à gorge déployée.

— Tout le monde est là? demanda Lolya en crachant du sable.

— Oui... mais je... je ne vois pas Béorf? s'inquiéta Médousa. Quelqu'un a vu Béorf?

Les rescapés se mirent à la recherche du béorite, mais il demeura introuvable. On fouilla les restes du navire sans succès.

— Mais c'est impossible! fit Médousa. Nous sommes tous là, bien vivants! Il doit être quelque part... à moins que... que les lémures l'aient enlevé pour l'emporter. Si j'en crois Charon, Béorf avait aussi... enfin, il avait déjà fait comme eux et...

— Mais non! s'empressa de dire Lolya pour rassurer son amie. Il nous faut mieux regarder, il est certainement sous les décombres, quelque part! Il est peut-être blessé et attend que nous lui portions secours.

Encore une fois, toute l'équipe reprit les recherches en redoublant d'ardeur.

— C'est normal, ces pistes, juste là ? demanda If de Brise qui avait remarqué des traces d'ours dans le sable. Elles sont peu visibles à cause du refoulement rapide causé par le vent.

Lolya observa attentivement les empreintes. Pas de doute, Béorf s'était transformé en ours, sans doute pour fuir une menace.

— Ces lémures sont après lui, j'en suis certaine ! Les traces contournent la dune et se perdent devant nous. Il faut tout de suite lui venir en aide ! Il a besoin de nous, vite !

Aussitôt, tout le monde avala une bonne gorgée d'eau de la fontaine de jouvence afin de combattre la chaleur, et la petite troupe commença à suivre la piste laissée par Béorf. Il leur fallut une demi-journée pour atteindre un vague chemin ressemblant à une route, puis encore quelques heures avant que les pistes de l'ours les mènent à un hameau, près d'une oasis, où des marchands ambulants avaient l'habitude de se reposer.

— Tu crois que les lémures ont envahi l'endroit ? demanda anxieusement Lolya.

— Nous sommes prêts à les affronter, lui répondit Nellas qui parlait aussi pour ses confrères-archers.

— Laissez-moi faire une reconnaissance du terrain, proposa la gorgone, avec ma cape d'invisibilité, je pourrai me faufiler sans attirer l'attention.

— Excellente stratégie ! approuva Alior.

Médousa s'enroba de sa cape et se fondit dans le paysage. Sur la pointe des pieds, elle se glissa entre les maisons de toile, les yourtes, ainsi que les tentes des voyageurs. Tout paraissait normal et il n'y avait pas la moindre trace de la présence des lémures.

— Me voilà rassurée..., murmura-t-elle. Maintenant, je dois trouver Béorf.

Puis, d'un coup, une idée frappa Médousa en plein visage. Une pensée saugrenue, presque impossible à envisager, mais très probable lorsqu'on connaissait bien la mentalité des béorites.

— Si Béorf m'a fait ce coup là ! grogna-t-elle en envisageant de découper son ami en morceaux, si cet énergumène m'a inquiétée pour si peu, je jure que je l'étrangle.

En effet, après une brève recherche, Médousa tomba pile sur une auberge de fortune où Béorf, attablé, le sourire fendu jusqu'aux oreilles, s'était endormi la tête dans son assiette. Autour de lui, il y avait une quantité impressionnante de plats vides, d'os de poulet, de morceaux de viande, de couscous, de légumes et une montagne de côtes de mouton bien rongées.

Discrètement, la gorgone s'approcha de lui et tenta de le réveiller.

Béorf se contenta de lever un peu la tête, de regarder autour de lui puis de laisser échapper un rot si puissant qu'il fit trembler la petite terrasse de bois où il se trouvait.

Toujours invisible du fait de sa cape, la gorgone donna un violent coup de pied sur la chaise

de son glouton d'ami et celui-ci s'affala sur le plancher.

— Ça, mon bonhomme, tu vas me le payer!
maugréa la gorgone en colère, mais soulagée de
l'avoir retrouvé.

Au sol, Béorf se plaça en boule et poussa
quelques ronflements de bonheur. Le béorite était
enfin de retour dans le monde des vivants, un
monde rempli de saveurs!

Chapitre 16

Le bâtisseur et ses démons

Lorsque Peck à l'Eau Claire et maître Chu arrivèrent en haut de la montagne, des milliers de korrigans et de fées les accueillirent dans un silence empreint de respect. Personne ne savait exactement pourquoi ils devaient leur porter respect, mais pour les mêmes raisons qu'ils étaient tous venus sur la montagne, chacun savait que ces deux étrangers en étaient les responsables.

— Euh... hou là là ! fit Peck impressionné. Il y a du monde ! Je ne croyais pas qu'il en viendrait autant ! Que dois-je faire maintenant ?

— C'est toi qui as appelé tous ces korrigans et toutes ces fées, lui répondit maître Chu. Moi, ma tâche était de te conduire jusqu'ici et d'assurer ta sécurité. Les réponses à tes questions sont en toi...

— Oui, elles sont en moi, mais..., hésita Peck, mais je ne sais pas si elles sont toutes bonnes ! Et si je me trompais... hou là là ! Je ne veux pas décevoir tout ce beau monde ! Déjà, je ne sais pas quoi leur dire, ni comment leur expliquer que nous devons construire ici un sanctuaire !

— Regarde autour de toi, Peck, tous les matériaux sont déjà là ! lui fit remarquer le faune. Tu n'as qu'à terminer ce qui a été commencé !

— Oui, mais… il faut des plans… des explications… du temps pour…

— Parle-leur, Peck, ils n'attendent que tes ordres ! conclut maître Chu en poussant Peck devant la foule.

Intimidé, le demi-korrigan monta sur un gros rocher et affronta une foule pour la première fois de sa vie. D'habitude, il n'avait qu'à se présenter devant un petit groupe pour que les remarques sur son étrange physique se transforment rapidement en quolibets et culminent en une risée générale. Jamais Peck n'avait eu l'attention d'autant de ses semblables, que ce soit de la race des korrigans ou des fées.

— Bonjour et merci… d'être là ! commença-t-il de façon maladroite. J'espère que vous avez eu une agréable journée et que la pluie de ce matin ne vous a pas trop…

— PECK ! lança maître Chu pour le rappeler à l'ordre.

— Oui ! Oui, oui… je vous demande de, hou là là… j'aimerais vous expliquer que j'ai des visions et que… comment dire ? Que nous sommes tous ici afin de… vous ne me croirez pas, hou, là là…

— Oui, nous savons ! hurla Krill au milieu de la foule. Nous sommes ici pour sauver le monde, monsieur Peck, et nous devons construire ici un sanctuaire ! Le Sanctuaire des Braves !

— Oui, exactement! se réjouit Peck. C'est tout dit, hou là là! Merci!

— Et les fées sont ici afin d'ensorceler ce lieu et d'y construire une porte sacrée que les héros du Nouveau et des Anciens Mondes pourront emprunter afin de nous prêter main-forte contre l'invasion des lémures! ajouta la petite fée sur l'épaule de Krill.

— Parfait! lança Peck soulagé. Tous les plans sont dans ma tête, je sais comment réaliser le sanctuaire, il me faudra du papier et des bonnes mines afin que... que je... mais que faites-vous?

Pendant quelques secondes, tous les spectateurs clignèrent des yeux trois fois, exactement en même temps. Sans le savoir, Peck leur avait communiqué mentalement les plans qu'il avait imaginés dans les derniers jours.

— Alors, ce que je disais..., continua Peck, c'est le...

— Très brillant! fit un des korrigans. Le positionnement des bâtiments est très bien pensé! Ainsi, vous récupérerez la chaleur du soleil en hiver et profiterez des brises du nord pour rafraîchir les salles importantes en été! Je vous lève mon chapeau, bâtisseur Peck!

— Je comprends aussi comment vous imaginez cette porte et de quelle façon vous comptez la connecter aux principales constellations! ajouta une fée plus grande et plus âgée que ses s'urs. Un cercle de culture est la forme la plus simple et la plus avancée de communication entre les plans et les dimensions de notre monde! À mon tour de vous féliciter!

— Oh! je suis content que vous... comment dire, bafouilla Peck trop excité par les réponses positives qu'il recevait. Le secret, c'est la lune, n'est-ce pas? La croissance et la décroissance font que... hou là là, comment expliquer?

— Le bâtisseur a parlé! lança Krill. Au travail! Je prends la direction du chantier pour le bâtiment principal. Les maçons à ma droite, les charpentiers à gauche! Solidifions d'abord les fondations, puis corrigeons les structures ; nous les intégrerons ensuite aux plans du bâtisseur!

— Excellent! fit Peck, mais je tiens aussi à vous expliquer que...

— Oui, nous savons! le coupa l'aînée des fées. Je m'occupe de la direction du cercle de culture et de la protection magique du sanctuaire. Allez mes amies, au travail!

— Bon, voilà! Hou là là! Je n'ai plus rien à dire... car de toute façon, personne ne m'écoute plus et... et si vous avez besoin de moi, eh bien, je serai ici... seul dans mon coin, à me ronger les ongles et à me laver les doigts de pied... hou là là!

Devant la déception de Peck, maître Chu s'approcha de Peck et déposa amicalement sa main sur son épaule.

— Ta tâche n'est pas terminée, Peck, lui dit-il, et ce que tu dois faire maintenant est encore plus important.

— Ah oui? s'étonna le demi-korrigan. Qu'ai-je encore à faire?

— Te promener à travers le chantier et envoyer des pensées positives à tous ces travailleurs, répondit maître Chu. Tu as le pouvoir de les influencer, de les diriger et de les motiver ! C'est toi le bâtisseur et chacun d'entre eux te respecte comme son maître ! Sois à la hauteur de ce qu'ils attendent de toi et va vers eux ! Si tu te caches comme anciennement tu le faisais dans ta petite maison, tu seras malheureux. Montre-leur que tu es différent ! Cette différence n'est pas un inconvénient, c'est ton avantage, ta richesse ! Peck, tu n'es pas une créature normale et c'est pourquoi ton pouvoir est si grand !

Peck prit quelques instants de réflexion. Le faune avait raison, car ses particularités aussi bien physiques qu'intellectuelles étaient maintenant un avantage dont il pouvait se servir pour influencer positivement les autres. Sa jeunesse avait été marquée par la souffrance, mais il en serait autrement avec sa vie adulte.

— Ce ne sont ni ta parole ni tes mots qui changeront le monde, Peck à l'Eau Claire, continua maître Chu, ce sont tes pensées. La clé de notre avenir est là !

— Oui, je comprends.

— Au revoir, mon ami, et bonne chance ! le salua le faune.

— NON ! MAIS NON ! s'emporta Peck, vous ne pouvez pas me laisser ici, hou là là... j'ai besoin de vous ! J'ai besoin de conseils. Je ne sais pas quoi faire et je ne suis pas en mesure de prendre la responsabilité de toutes ces choses ! Hou là là !

Maître Chu sourit, tapota amicalement l'épaule de Peck, puis s'éloigna sans dire un mot.

— Sérieusement, hou là là ! Votre place est ici... avec nous... et pas ailleurs..., fit Peck angoissé.

Le sage faune avait terminé son travail et devait retourner à son temple où ses disciples, ses visiteurs et ses amis attendaient impatiemment son retour, mais surtout ses enseignements.

***

Le fermier Manou B. Sansmains, un gros cultivateur arrogant du village de Chables, marchait vers son chenil. À la fois alcoolique et lunatique, il était un personnage emblématique du petit monde de la région de Litté. Bien connu à cause de ses frasques qu'il croyait audacieuses, mais qui, en réalité, étaient plus embarrassantes que brillantes, celui-ci clamait à c'ur de jour qu'il briguerait un jour la mairie de son bled. Selon lui, seules ses idées étaient bonnes et, si quelqu'un osait le contredire, le pauvre homme prenait tout de suite ces remarques comme une attaque personnelle et se rebellait tel un diable dans une eau sacrée. Impossible à remettre en cause parce que trop imbu de lui-même, Manou B. Sansmains vivait seul sur sa propriété et faisait l'élevage de chiens de course. Ses bêtes étaient davantage des sacs à puces que de solides coureurs, mais, qu'à cela ne tienne, il s'imaginait malgré tout être le plus grand éleveur au monde.

Manou B. Sansmains excellait bien dans quelque chose : les blagues vulgaires et les commentaires salaces. Au village de Chables, les habitants fuyaient sa présence comme la peste et s'il arrivait, par malheur, que l'un de ses concitoyens doive endurer sa lourde conversation, il le faisait par pitié pour le pauvre homme et non par réel intérêt. L'éleveur n'était pas bien méchant, c'était un homme sans intérêt, tout simplement.

Dans le passé, le gros Manou avait bien fait quelques bons coups, notamment lorsqu'il avait recueilli un chiot moyennement doué pour la course, mais doté d'une ferme volonté de se dépasser. Celui-ci avait fait sa fortune dans les nombreux stades du continent, mais il l'avait épuisé à force de le battre et la bête avait un jour décidé de le fuir, en lui laissant bien sûr quelques belles marques de dents bien imprégnées dans son généreux postérieur. Encore là, il avait blâmé son chien de s'être défendu et, aujourd'hui, il le traitait de tous les noms.

— Ah quel bâtard, ce chien ! grognait-il en titubant vers son chenil. J'ai tout fait pour lui, c'est moi qui l'ai mis au monde, cet ingrat ! C'est moi, le responsable de ses succès et voilà qu'il me quitte en mordant la généreuse main qui le nourrissait ! Bon, je lui ai bien fait sauter quelques repas, mais au bout du compte, il me le devait bien... j'étais son maître ! Son ami aussi...

Soudainement, les portes du chenil s'ouvrirent d'un coup et tous les chiens déguerpirent en vitesse.

— MES CHIENS! mais que se passe-t-il ici! C'est ça! Allez-vous-en! Quittez-moi, ingrats! Je suis votre créateur... je suis votre dieu!

Trop saoul pour comprendre qu'il y avait certainement un problème à régler dans son chenil, Manou ouvrit une autre bouteille et se l'enfila d'un coup. Pour lui, ce geste représentait encore la meilleure façon de faire face à ses contrariétés.

— Au moins, il me reste mes moutons! lança le gros Manou en se retournant vers son champ. Mais non! Mais où sont mes moutons? Je croyais qu'il m'en restait au moins quelques-uns? Hier, il me semble en avoir compté quatre... Mes moutons? Venez mes petits moutons! Venez voir votre bon et gentil maître...

Mais le champ était vide et pas une de ses bêtes ne se manifesta.

Cependant, des bruits étranges dans son chenil lui firent penser qu'ils y avaient peut-être trouvé refuge.

— C'est vous, sales moutons, qui avez fait fuir mes chiens? se fâcha Manou. Espèces de bêtes sans morale et sans vergogne, je vous le ferai payer! Encore une fois, me voilà trahi! Je suis la farce du dindon!

Ou plutôt le dindon de sa propre farce.

Chancelant comme une galère dans la tempête, l'éleveur de chiens pénétra dans son chenil et alluma, non sans difficulté, une lampe à l'huile.

— Oh non, je me suis brûlé! s'exclama-t-il en se bavant sur le menton. Cette lampe m'a trahi! C'est sa faute si j'ai mal... Demain matin, lorsque je n'aurai plus besoin d'elle, elle me le paiera. Je lui ferai payer sa...

Le son clair d'un brutal pas de sabots sur le plancher de bois résonna dans le chenil. À la lumière du feu, le gros Manou vit surgir quatre formes humanoïdes des ténèbres. Devant lui, quatre gigantesques monstres ressemblant vaguement aux moutons de son champ se dressaient devant lui. Ils étaient habillés de haillons ajustés grossièrement avec des bouts de cuir taillés en ceinture. Les monstres portaient faux, fourches et quelques autres instruments tranchants ou contondants qu'ils avaient trouvés çà et là, sur la propriété de Manou.

— C'est privé ici ! leur lança Manou sur un ton arrogant. Je suis le maître ici et je vous ordonne de quitter ma propriété tout de suite ! Et je n'ai pas peur de vous, car je suis le plus grand combattant que le monde ait vu naître.

Les créatures, excitées par l'odeur du sang frais, firent un pas en avant. De leurs gueules édentées s'échappaient de longues coulisses de bave.

Trop saoul pour fuir et maintenant mort de peur, le gros Manou se contenta de mouiller sa culotte.

— Je sais que je vous ai frappés, mes petits moutons, et que, parfois, j'y ai même pris un malin plaisir, mais c'était votre faute..., se défendit-il. Vous l'aviez cherché..., pleurnicha l'éleveur comme unique défense. Moi, je n'y suis pour rien !

La porte du chenil se referma soudainement en emprisonnant Manou. Le feu de sa lampe s'éteignit.

On entendit alors une longue plainte provenant du chenil, puis le silence reprit ses droits.

Les lémures venaient de faire leur première victime.

Chapitre 17
Le début de la fin

Rotto, poursuivi par trois lémures, fuyait dans les ruelles de Berrion. Lui, l'expert en furtivité, s'était fait bêtement repérer alors qu'il espionnait l'arrivée des monstres en ville. Bien caché sous le rebord d'un toit, son odeur d'hommanimal l'avait tout de suite trahi. Les lémures s'étaient alors jetés sur lui afin d'en faire leur collation de début de soirée.

L'homme-rat, agile comme les rongeurs de sa race, avait pourtant du mal à semer ses adversaires. Il avait beau passer sous les clôtures ou se faufiler entre les maisons, ses poursuivants tenaient bon. Malgré quelques spectaculaires bonds sur les toits, les lémures s'accrochaient et gagnaient même du terrain.

— Ils sont gros, agiles, féroces et bien en forme, ces vilains ! Si je ne peux fuir, il me faudra les affronter ! fit l'assassin. Entends-tu le glas de ta dernière heure qui sonne, mon Rotto ?

D'un coup, l'homme-rat s'arrêta et fit face à ses assaillants. Il dégaina deux dagues empoisonnées et attendit qu'un lémure se compromette. Rotto évita la massue du premier et le piqua profondément dans la jambe. Telle une araignée sauteuse, il bondit dans la figure du second en lui plantant ses deux dagues dans le dos. S'appuyant sur les épaules de sa seconde victime, Rotto culbuta dans les jambes du troisième lémure en lui injectant une double dose de venin d'aspic dans les veines.

— Que ceci vous serve de leçon ! leur lança fièrement Rotto en rengainant ses armes. Ce n'est pas poli de s'en prendre à plus petit que soi !

Les trois lémures empoisonnés titubèrent avant de poser un genou au sol.

— Ils ont une solide constitution, ces bougres de monstres, pensa Rotto. Avec ce que je leur ai mis, ils devraient déjà se tordre de douleur en implorant qu'on leur donne un antipoison. Mais ceux-là réagissent plutôt bien...

Comme s'il s'éveillait d'une sieste, le premier lémure poignardé se remit sur ses pieds en s'ébrouant. Son système éliminait le poison à une vitesse folle.

— Oh là, il m'épate, celui-là !

Rotto jeta un coup d'œil rapide sur la fiole de poison cachée dans le manche de sa dague et constata qu'elle était presque vide.

— C'était une dose pour tuer un éléphant ! s'étonna Rotto. Et il est encore debout ! Et les autres qui prennent aussi du mieux ! Je crois qu'il vaudrait mieux ne pas traîner si je veux sauver ma peau de rat !

L'assassin déguerpit et constata bien vite que les lémures avaient eux aussi repris leur poursuite. Le poison les avait ralentis, mais pas découragés.

Au contraire, ils semblaient contrariés de s'être fait si bêtement avoir et redoublaient d'ardeur dans leur course.

— Si je cours vers le château, ils découvriront mes entrées secrètes ! pensa Rotto. Alors vite, en terrain découvert !

Rotto emprunta à toute vitesse le chemin de ronde du grand mur protecteur de Berrion et plongea dans l'eau des douves. Excellent nageur, il sortit sur la rive en se secouant. Quelle ne fut pas sa surprise de constater que les lémures avaient eux aussi sauté dans le vide et nageaient tant bien que mal vers lui !

— Mais ils sont entêtés ! se fâcha l'assassin en prenant ses jambes à son cou.

Maintenant dans les terres agricoles exploitées par les paysans de la ville, le petit assassin courait avec difficulté entre les rangs de maïs. Épuisé par sa fuite, Rotto avait maintenant le souffle court. Malgré sa vitesse et sa grande forme physique, il n'arrivait définitivement pas à les semer. Bientôt, les lémures seraient là, derrière lui. Déjà, à quelques enjambées derrière, il entendait leur souffle et sentait leur présence.

Puis, l'événement que redoutait Rotto se produisit. Un des lémures lui attrapa la jambe et l'homme-rat culbuta face contre terre. Le nez dans la poussière du champ de maïs, l'assassin tenta de se relever, mais fut violemment plaqué au sol. Prêt à vendre chèrement sa peau, Rotto empoigna ses dagues, se retourna sur le dos et tenta quelques attaques qui furent toutes esquivées.

C'est alors que l'homme-rat, qui croyait bien terminer ses jours dans le ventre de ces horreurs, assista à un miracle.

Trois flèches, provenant de trois directions différentes, atteignirent les trois lémures en plein front. Aussitôt, comme si les projectiles avaient été de braise, elles enflammèrent la tête, puis tout le corps de ses poursuivants.

— Eh bien! lança l'homme-rat étonné, je ne sais pas qui vient de me sauver, mais je vous dois une fière chandelle! À moins que je ne sois le prochain cadavre sur la liste, sachez que je demeure et demeurerai votre humble serviteur jusqu'à ce que je vous rende la pareille! Je me nomme Rotto et je vous félicite d'un tel coup!

Trois archers se dévoilèrent alors, arcs et flèches braqués sur lui. Puis, d'un coup, sans qu'il l'ait vue s'approcher, une gorgone se matérialisa devant ses yeux. Plutôt agréable à regarder en comparaison avec celles qu'il avait déjà vues, elle portait une protection devant les yeux qui empêchait ses pouvoirs de pétrification.

— D'accord, d'accord..., fit Rotto. Vous êtes de quel côté, vous quatre? Dois-je m'attendre à finir mes jours comme statue plutôt que comme plat principal pour lémures?

— Je m'attendais à te voir plus performant contre ces créatures, lança soudainement une voix que Rotto connaissait bien.

— Mordoc de Mordonnie! explosa l'homme-rat dans un soupir de soulagement. C'est bien la première fois qu'il me fait plaisir de croiser ta route !

— Tu cours aussi vite qu'une poule mouillée, le taquina Mordoc en dévoilant son visage entre les hautes herbes. D'ailleurs, n'est-ce pas ta race ? Les hommes-poules !

Rotto, trop content d'être encore en vie pour se formaliser de la raillerie, se contenta de se révéler afin de serrer la main de son ami.

— Merci de m'avoir sauvé la vie !

— Tu m'en dois une ! rigola Mordoc. En fait, tu dois certainement une faveur à mon équipe ! Venez, mes amis, que je vous présente !

— Ai-je bien entendu ce qu'il vient de dire ? fit Alior aux Dents rouges. Nous sommes membres de SON équipe !

Mordoc, qui avait bien compris le commentaire d'Alior, fit mine ne n'avoir rien entendu et s'empressa de présenter ses compagnons à Rotto. Comme il termina son petit baratin par Béorf, le béorite et l'homme-rat se toisèrent. Sur ses gardes, Rotto posa discrètement la main sur sa dague. Béorf ramassa alors une grosse pierre de la taille de son poing et, grâce au pouvoir de sa ceinture de force, la fracassa entre ses doigts. De sa main s'envola un nuage de poussière blanche.

— Ne t'avise pas de faire le rat avec nous, l'avertit Béorf sans courtoisie, ou c'est ta tête que je prendrai entre mes doigts. Entendu ?

— Pour moi aussi, c'est un plaisir de vous rencontrer, répondit poliment Rotto. Vous me semblez charmant et affable, comme tous les ours de votre race.

— Vous excuserez Béorf, fit Lolya afin de calmer le jeu, je crois qu'il a mal dormi.

— Oh, je comprends..., répondit l'homme-rat. Les ours et les rats ne dansent pas sur le même pied. Ne vous en faites pas, mon mépris est réciproque.

— Que se passe-t-il en ville ? Raconte ! demanda Mordoc. Mon équipe et moi devons reprendre Berrion aux lémures !

— S'il dit encore MON équipe, je le frappe..., murmura Alior.

— Eh bien, ce n'est pas beau, pas beau du tout ! répondit Rotto. Pour faire bref, les manifestations organisées par l'artisan-tonnelier ont vite dégénéré lorsque celui-ci a fait appel à trois chefs barbares pour lui venir en aide. Ceux-ci ont pris le contrôle de la révolution ! Les habitants sont rapidement devenus leurs esclaves, mais heureusement, ils sont maintenant sous la protection de Junos dans le château. Ensuite, les barbares ont revivifié leur dieu et demandé le Grand Réveil des lémures. Depuis deux jours, ceux-ci ont envahi Berrion.

— Ils se sont attaqués au château et aux chevaliers ? demanda Alior inquiet.

— Non... mais cela ne tardera pas, répondit Rotto. Les lémures ont plutôt commencé par tuer tous les barbares et ils les ont mangés. Personne n'a été épargné, ces monstres ne font pas de cadeau, même pas à ceux grâce à qui ils ont pu renaître. Lorsqu'ils auront terminé de sucer la moelle du dernier os de barbare, je crois bien que la forteresse et le château seront leurs nouvelles cibles.

— Il faut vite agir! fit Nellas. Et qui protège l'enceinte?

— Les chevaliers de Berrion, les forestiers de Tarkasis, ainsi que les aventuriers de Bratel-la-Grande, dont j'ai l'honneur de faire partie depuis quelques mois, fit Rotto. Mordoc étant mon chef de bande, je me joins donc à vous, à son équipe!

— Là, je vais perdre patience..., maugréa Alior.

— Pourquoi, chevalier? demanda Rotto.

— Parce qu'il a très envie d'aller se battre, répondit Mordoc en déviant la conversation. Alior est l'un des plus grands chevaliers du monde et sa hardiesse n'a d'égal que son impatience à punir ses ennemis!

— Grande gueule..., répondit stoïquement Alior.

— Bon! fit Mordoc en se frappant dans les mains. Il nous faut un plan! Une idée pour mettre à la porte ces maudits lémures et récupérer la ville.

— C'est toi le chef, grogna Alior, nous sommes TON équipe, alors dis-nous quoi faire.

Quelques larges sourires parsemèrent les visages des compagnons d'aventure. Mordoc avait certes de belles qualités, mais il n'était pas stratège le moins du monde.

— Oui, oui... j'ai bien quelques bonnes idées..., répondit-il, mais j'aimerais quand même avoir votre avis. Quelqu'un veut parler? Alior aux Dents rouges par exemple? Tu aurais une petite idée?

Alior soupira un bon coup devant l'orgueil mal placé de Mordoc, mais décida de ne pas le faire mal paraître devant Rotto.

— En réalité, nous pourrions employer la stratégie de l'"uf à la coque! proposa Alior sur un ton légèrement ironique. Tu te rappelles Mordoc? C'est toi-même qui l'as élaborée.

— Oui, bien sûr..., répondit-il en cherchant des yeux l'approbation du groupe, tu pourrais peut-être nous... enfin, pour savoir si tu as bien tout retenu... nous en parler un peu? Enfin, dans les grandes lignes... car la stratégie complète est trop compliquée pour s'appliquer à Berrion, n'est-ce pas?

— N'en fais pas trop, Mordoc..., lui glissa Lolya à l'oreille. Ça devient suspect.

— Alors, la stratégie de l'"uf ou comment emprisonner l'ennemi et le faire cuire! expliqua Alior. Au lieu d'essayer de foutre les lémures hors de la ville, nous les enfermerons à l'intérieur des murs. Prisonniers de cette coquille, nous les attaquerons de la forteresse du château en évitant les fuites! Ainsi, nous les cuisinerons lentement jusqu'au dernier. Nous disposons de flagolfières pour y placer en sécurité nos archers qui feront s'abattre sur la ville une pluie de flèches. Les lémures trouveront donc refuge dans les maisons où, bien cachés, les aventuriers de Bratel-la-Grande pourront les éliminer, lentement, furtivement, un par un s'il le faut. Les chevaliers sur les murs fortifiés et derrière la grande porte empêcheront leur fuite.

— Pas mal du tout, mon idée! s'échappa Mordoc.

— Y'a-t-il encore des béorites au château? demanda Alior à Rotto.

— Trop pour moi! répondit-il. Ils sont une bonne centaine!

— Alors les béorites, Béorf et moi protégerons la porte et éviterons les fuites, expliqua Alior. Médousa travaillera furtivement avec Mordoc et les aventuriers de Bratel-La-Grande dans les maisons et je laisse le soin à Nellas et ses compagnons d'organiser les tirs dans les flagolfières! Lolya, eh bien, fouille tes bouquins et trouve-nous une façon pour ensorceler les lémures afin de les affaiblir.

— Et Maelström? fit Lolya. On l'utilise?

— Le dragon assurera ta protection, conclut Alior, et s'il a envie de nous griller quelques lémures sans risquer de carboniser la ville, il est le bienvenu! On y va?

— Je me charge de vous conduire discrètement dans le château, auprès de Junos, fit Rotto. J'ai mes entrées auprès du souverain...

Avant de partir, l'assassin se retourna vers Mordoc et dit, en le raillant:

— Oh! Et bravo Mordoc, sans toi, cette équipe ne vaudrait rien! Heureusement que tes compagnons ont un chef aussi... brillant!

Sous les rires de ses camarades, Mordoc serra les dents et n'ajouta rien. Il avait son compte.

Chapitre 18
Quelques mots entre rivales

Lolya avait réintégré ses appartements dans le château, mais surtout son laboratoire où elle s'était tout de suite mise à fouiller ses grimoires. La bataille n'avait pas encore commencé. Les forestiers de Tarkasis venaient d'être informés de la stratégie des flagolfières. Les aventuriers de Bratel-la-Grande se préparaient à se glisser en douce dans la ville et les chevaliers et béorites allaient s'emparer, au petit matin, de la porte et des murailles de la ville. Tout se déroulait pour le mieux, même si dans la cité, les lémures mettaient tout sens dessus dessous. Comme à son habitude, Berrion se relèverait de cette malchance et se reconstruirait, peut-être même serait-elle encore plus belle qu'avant les troubles des derniers mois.

— Excuse-moi de te déranger, je peux te parler ? demanda une petite voix mélodieuse à la porte du laboratoire de Lolya.

Déconcentrée, la nécromancienne sursauta, puis se retourna. Une belle jeune fille au sourire envoûtant et aux cheveux roux comme la braise attendait sur le pas de la porte. Elle semblait intimidée et regardait avec de grands yeux l'intérieur du laboratoire.

— Euh… bonsoir…, répondit poliment Lolya. Je peux t'aider ? Normalement, les Berrionais ne devraient pas avoir accès à cette partie du château, mais…

— J'ai demandé à te voir et c'est ton amie la gorgone qui m'a dit que tu étais ici… elle a autorisé mon passage… je l'ai trouvée très gentille ! Je ne croyais pas que les gorgones pouvaient être aimables…

— En effet, Médousa est très gentille lorsqu'elle n'est pas contrariée ! répondit Lolya.

— Tu es très jolie pour une sorcière ! la complimenta maladroitement la fille. Ce n'est pas cette image que nous avons des magiciens et des ensorceleurs ! En fait, la couleur de ta peau te donne un petit côté mystérieux et…

— Et si on en venait aux faits ! l'interrompit Lolya. J'ai beaucoup de travail devant moi alors…

— Oui, oui, désolée ! répondit la fille. Je suis Hermine.

Lolya reçut un coup en plein c'ur. Voilà donc que sa rivale auprès d'Amos se présentait devant elle, comme ça, sans avertissement, sans invitation et surtout sans gêne !

— Pardonne-moi, Hermine, mais j'ai autre chose à faire que de papoter avec toi ! lui lança sèchement Lolya. Tu fermeras la porte derrière toi.

— Oh, je vois… je veux simplement te dire que… que je ne savais pas qu'Amos avait une copine lorsque je l'ai invité au bal.

La nécromancienne lui tourna le dos et, la gorge serrée, retourna à sa lecture.

— Enfin, c'est un peu de sa faute, car lui non plus ne m'en avait pas parlé..., continua Hermine.

— Pas de mal, c'est moi qui l'avais plaqué ! s'exclama brutalement Lolya. Alors, tu vois, tout s'arrange pour vous deux ! Je vous souhaite de vivre heureux et d'avoir beaucoup d'enfants ! Bonne chance et referme bien derrière toi !

Hermine prit son courage à deux mains et continua.

— Mais j'aimerais te parler un peu d'Amos et...

— Écoute Hermine, lui répondit Lolya qui commençait à bouillir de colère, j'arrive d'un voyage dans les enfers où, possédée par un démon parasite, j'ai été guérie par Baal en personne pour ensuite m'embarquer sur le bateau de Charon. J'ai traversé Braha, la ville des morts, et j'ai été éjectée par sa cime dans le désert de Mahikui. Et tout cela accompagnée d'une bande de lémures qui désirent détruire le monde ! Ensuite, je me suis farci le désert, la soif et le voyage de retour pour me retrouver dans une bataille où je dois maintenant invoquer un sort afin d'aider nos troupes à gagner ! Alors si tu veux bien, ma chère Hermine, tu me lâches avec ton Amos Daragon et tu vas jouer à la poupée hors de mon laboratoire ! Ai-je été assez claire ?

— Oui, et c'est de ça que je désirais te parler... je ne suis pas de taille ! fit la jeune fille en reculant de quelques pas dans le couloir. Moi, ma vie est toute simple et mon désir le plus grand est de devenir boulangère... J'aime le pain et... et je veux y consacrer ma vie.

— Il n'y a pas de honte à cela, dit Lolya un peu calmée.

— Comme toutes les filles, je rêvais d'épouser un beau prince charmant, comme Amos, enchaîna-t-elle, mais ce n'était qu'un fantasme. Aujourd'hui, je me rends bien compte que cette vie n'est pas pour moi...

— Oh ! fit simplement Lolya.

— J'étais morte et je suis revenue à la vie... J'ai une deuxième chance et je ne veux pas la gaspiller. Moi, je suis taillée pour la farine, pas pour l'aventure. Je n'ai aucun pouvoir sinon celui de bien pétrir la pâte... alors je suis venue pour m'excuser de t'avoir fait de la peine. C'est tout... Même si Amos ne compte plus pour toi, je regrette beaucoup le mal que je t'ai fait si, involontairement, je t'en ai fait.

Lolya se retourna vers ses grimoires et essuya deux grosses larmes.

— Même les plus grandes sorcières ont des leçons à recevoir des jeunes boulangères..., dit-elle en reniflant. C'est moi qui m'excuse de ma conduite envers toi. J'ai été méchante.

— Peut-être, un jour, deviendrons-nous des amies... enfin, si tu peux sauver la ville.

— Je sauverai cette ville pour une seule et unique raison, Hermine..., conclut Lolya. Pour un jour, avoir le bonheur de goûter l'un de tes pains.

Hermine sourit et referma doucement la porte du laboratoire.

Lolya soupira un bon coup avant de se replonger dans son grimoire.

— Tu vas vraiment goûter un de ses pains ?

Lolya sursauta. Il n'y avait personne dans le laboratoire.

— C'était très touchant ! ajouta la gorgone avant de retirer la cape d'invisibilité qui la recouvrait.

— NON ! TU AS...

— Oui, j'ai tout vu et tout entendu ! Et c'était un beau spectacle ! rigola Médousa. J'ai surtout aimé le bout où tu lui as dit de retourner jouer avec ses poupées. C'était bien envoyé, celle-là ! Mais fort heureusement, tu n'aimes plus Amos, sinon je crois bien que tu aurais changé cette Hermine en crapaud, méchante sorcière ! Un beau crapaud roux !

— Je ne te ferai plus jamais confiance ! se cabra Lolya.

— Tu aurais bien raison, car je ne suis qu'une méchante gorgone après tout ! pouffa Médousa en entraînant Lolya dans son rire.

Chapitre 19
Les braves

Les lémures étaient plus forts et plus coriaces qu'Alior l'avait cru. Certes, sa stratégie de l'"uf à la coque fonctionnait bien, mais les ennemis étaient des durs à cuire. Même avec deux ou trois flèches dans le corps, ceux-ci continuaient à se battre comme s'il s'agissait de piqûres d'insectes.

Devant les portes, Alior et Béorf en avaient plein les bras. L'armure rouge de Baal avait plus d'une fois sauvé le chevalier de coups critiques et le béorite, malgré la force extraordinaire conférée par sa ceinture, reprenait difficilement son souffle. Heureusement pour eux, Nellas, Bois d'Orme et If de Brise avaient positionné leur flagolfière tout juste au-dessus de leur scène de bataille. Leurs arcs magiques, faisant mouche à chaque tir, réduisaient en cendres les renforts.

Lolya avait bien concocté et lancé sur les lémures un sort d'affaiblissement, mais celui-ci n'avait pas eu les résultats escomptés. Ces monstres étaient trop solides et bénéficiaient d'une constitution hors du commun. La nécromancienne avait de grands pouvoirs pour combattre des ennemis humains ou humanoïdes, mais ceux-ci étaient entourés d'une aura de protection maléfique qui en faisait des êtres d'exception. Même en y ajoutant la puissance magique de la dague de Baal, sa magie était trop faible. Volant au-dessus de la ville sur le dos de Maelström, elle enchaînait les sorts et les malédictions sans grands résultats.

Même Médousa n'avait pas autant de facilité à transformer les lémures en pierre. Bien sûr, elle y arrivait, mais les créatures reprenaient vie après quelques instants seulement. Jamais la gorgone n'avait vu une telle résistance et cette incroyable capacité de régénération. On aurait cru qu'une fois pétrifié, leur corps absorbait la pierre pour ensuite s'immuniser contre une nouvelle attaque. Les lémures qui avaient subi une première fois le regard de la gorgone ne réagissaient plus à ses attaques.

Devant la possible débâcle des forces berrionnaises, Béorf enfila le gant de métal et saisit la lance d'Odin. Les lémures voulaient jouer dur, eh bien, lui aussi en avait les moyens.

— À MON SIGNAL, hurla-t-il, QUE PLUS PERSONNE NE BOUGE ! hurla-t-il en se préparant à lancer Gungnir parmi les lémures. TROIS, DEUX, UN ! C'EST PARTI !

Le mot se répandit rapidement dans les troupes et tous les yeux, même ceux des lémures, se fixèrent sur la lance.

L'arme magique d'Odin vola dans les airs et se planta, droite comme un piquet, en plein centre de Berrion.

— C'est terminé! se félicita Béorf. Voilà comment on règle un conflit!

Gungnir plantée au sol, le béorite leva les yeux au ciel pour accueillir la pluie d'éclairs. Le ciel se déchaînerait bientôt et grillerait les lémures les uns après les autres. Pas de doute, l'arme d'Odin serait plus forte que ces monstres venus des enfers.

— Alors, ça vient? demanda Alior en se retournant vers Béorf.

— Euh..., hésita le béorite. C'est plus lent que d'habitude, mais...

— Si les dieux ont décidé de détruire le monde, mon cher Béorf, fit Alior dans un soupir, je ne crois pas qu'Odin te permettra d'utiliser son arme afin de contrecarrer ses propres plans!

— Ah le salaud! répondit Béorf. Il aurait pu m'avertir! BOUGEZ, TOUT LE MONDE! BATTEZ-VOUS! C'EST UNE ERREUR, DÉSOLÉ!

Aussitôt, les combats reprirent. Béorf retira le gant et le lança loin derrière lui, pour s'en débarrasser.

— Si Odin ne veut plus de ses enfants, alors ses enfants aussi le rejettent! Je crois que les béorites sont maintenant prêts à passer à autre chose!

— HOURRA! hurlaient quelques hommes-ours derrière leur chef. NOTRE SORT EST ENTRE NOS MAINS!

Maelström, qui s'était posé lorsqu'il avait vu Béorf lancer Gungnir, eut soudainement un sentiment de réconfort et de sécurité.

— Allez! lui ordonna Lolya, il faut reprendre le combat.

— Non, petite s'ur, tout est maintenant terminé..., lui répondit le dragon. La ville est sauvée !

— Mais tu délires, Maelström ! se fâcha la nécromancienne. Regarde bien et tu verras que notre position n'est pas confortable du tout ! Les lémures ne tombent pas ! Ils sont presque invincibles ! D'ailleurs, je crois bien que tu devrais retourner te battre. Laisse-moi ici et fais comme tout à l'heure, plonge dans la mêlée !

À ce moment, dans un fracas étourdissant, la porte de Berrion vola en éclats comme si elle avait été soufflée de l'intérieur. Pour une seconde fois, les combats arrêtèrent et tous les regards, y compris ceux des lémures, se braquèrent sur le trou béant. Dans un rayon de soleil perçant la poussière et les débris fins qui flottaient dans l'air, une silhouette apparut, celle du prince de Berrion.

— Aaaaaaah ! fit Béorf soulagé. Il était temps ! On ne l'attendait plus, celui-là ! Bon, maintenant, je me trouve une bonne auberge et j'avale quelques bons poulets braisés. J'ai eu assez de combats pour la journée !

Mais Amos n'était pas seul. Derrière lui, trois ombres se dévoilèrent rapidement. Un garçon et deux filles. L'une portait une armure de fer et de plumes ainsi qu'un arc qui lui dépassait largement la tête. Habillée d'une robe d'algues et de coquillages, l'autre était chauve et portait religieusement entre les mains une boule de métal d'où s'échappaient de fins éclairs bleutés. Le troisième compagnon d'Amos, et non le moindre, ne portait qu'un pagne, mais était couvert de peintures de guerre aux couleurs vives. Large d'épaules, il portait sur le dos une gigantesque chauve-souris dont les ailes se refermaient sur son torse, juste sous ses bras.

Un lémure, plus courageux ou plus inconscient que les autres, se précipita vers Amos afin de bondir sur lui. Mais une flèche de l'archère de plumes, décochée à une vitesse surhumaine, le transperça en plein c'ur. Le projectile entraîna le corps du monstre dans sa trajectoire et se fixa, à deux cents pas derrière lui, dans un mur de pierre.

Une fois Amos et ses compagnons entrés dans la ville, ils levèrent tous les bras vers le ciel dans un mouvement qu'on aurait dit chorégraphié. Les murs de protection de la ville commencèrent alors à se reconstruire d'eux-mêmes. Les pierres tombées reprirent leur position initiale et le trou de la porte se referma complètement. Les lémures étaient maintenant tous prisonniers de Berrion.

Devant la démonstration de tels pouvoirs, les chevaliers de Berrion commencèrent à frapper en cadence leur épée sur leur bouclier. Pour la première fois depuis leur arrivée en ville, les lémures eurent un mouvement de recul et se regroupèrent instinctivement au centre de la ville. Aux premières loges, les forestiers de Tarkasis, bien installés dans les dirigeables, écarquillaient les yeux pour ne rien manquer.

— Qui sont ces gens avec Amos? demanda discrètement Alior à l'oreille de Béorf qui se préparait à quitter son poste. Mais qui sont-ils et d'où viennent-ils?

— Je crois que ce sont ses collègues de travail! plaisanta le béorite. Ce sont des porteurs de masques, comme lui!

— Je ne savais pas qu'il y en avait d'autres!

— Si je me souviens bien des explications d'Amos, la jolie guerrière en armure de plumes se nomme Tserle Hyell et elle arrive du continent de l'air. L'autre beau brin de fille sans cheveux, c'est Fana Ujé Hiss du continent de l'eau. C'est aussi une copine de Médousa! Elles se sont déjà rencontrées à Upsgran. Et le dernier, là, s'appelle Éoraki Kooc et, selon moi, il devrait se couper les ongles et se laver un peu.

— Oh! s'exclama Alior soulagé à son tour. Je crois que notre boulot à nous est terminé ici et que ceux-là vont finir le travail.

Amos s'avança alors de quelques pas et regarda le ciel.

— Je sais que vous êtes là et que vous nous observez! dit-il en s'adressant aux dieux. Vous n'êtes pas de taille contre la Dame blanche, pas de taille non plus contre la puissance des éléments!

Profitant du fait qu'il ne regardait pas dans sa direction, un autre stupide lémure fonça vers Amos pour lui assener un coup de son épée. Éoraki tourna la tête, bougea à peine le doigt et le lémure se consuma en quelques secondes. Même son arme, pourtant faite de métal, tomba en poussières. Amos ne s'en aperçut même pas.

— Le sanctuaire est construit sur ce continent de terre et il relie maintenant celui de l'eau, du feu et de l'air! Les porteurs de masques ont repris contact afin de protéger le monde. J'ai retrouvé mon corps et mes pouvoirs sur les éléments, des pouvoirs qui sont maintenant en moi, en nous. Rappelez tout de suite vos créatures et nous passerons l'éponge.

Un tonnerre, comme un coup de semonce, fit soudainement trembler la terre.

— Quelle force ! lança Lolya, prise au c'ur. Les dieux sont vraiment en colère !

— C'est le début, petite s'ur, dit Maelström, le début de grands bouleversements provoqués par les immortels.

Au loin, malgré l'évidente tension qui régnait sur la ville, Tserle Hyell reconnut Maelström et lui envoya la main. Le dragon lui rendit ses salutations d'un coup de tête.

— Tu la connais ? lui demanda Lolya.

— Oui, c'est une cousine, petite sœur... une cousine de cœur.

— Tu ne serais pas un peu amoureux, toi ?

— Elle est si gentille... sur son continent, elle me faisait des gâteaux. Ils étaient délicieux, très sucrés et bien onctueux !

— Oh je vois, tu es comme Béorf, le ventre d'abord et le c'ur ensuite ! plaisanta Lolya.

Amos se retourna vers les trois porteurs de masques.

— Je crois qu'ils ne céderont pas et que les dieux veulent se venger de nous, de nos actions et de la Dame blanche, leur dit Amos. Sommes-nous prêts ? Le combat pour protéger le monde sera long et difficile.

— Quatre éléments, dit Éoraki.

— Quatre porteurs de masques, enchaîna Tserle.

— Quatre continents, quatre sanctuaires, continua Amos.

— Pour protéger les beautés d'UN monde, celui de la Dame blanche, notre monde, conclut Fana.

— Notre tâche recommence, mes amis, fit Amos.

— Et cette fois, ça va péter sérieusement! rigola Éoraki.

Les quatre porteurs de masques se tournèrent vers les lémures.

Ceux-ci levèrent leurs armes au ciel pour célébrer la puissance des dieux.

Le choc fut catastrophique pour les lémures.

En trois minutes, Berrion était libérée.

Lexique mythologique

BONNET-ROUGE : Ils sont parmi les plus dangereux et les plus vicieux gobelins ayant vécu sur la terre. Vivant dans les vieux châteaux abandonnés, ils teignent leur bonnet dans le sang de leurs victimes. Personnages bien connus du folklore écossais, ils habitent les ruines des châteaux, choisissant de préférence ceux dont l'histoire est marquée par le vice.

COCYTE : Dans la mythologie gréco-romaine, le cocyte est un fleuve traversant les enfers. Il est alimenté par les larmes des mécréants ayant fait une mauvaise vie. Sur ses rives errent les âmes des morts privés de sépulture qui attendent le jugement dernier.

FAUNE : Ces petits humanoïdes possèdent de longues oreilles pointues, deux petites cornes et des pattes de bouc. Ils ont hérité d'une barbichette et d'une queue de chèvre qu'ils entretiennent et soignent avec zèle. De nature joyeuse, ils peuvent néanmoins être très brutaux et s'en prendre à quiconque trouble leur paix. Les faunes ne vivent pas en ville et leurs activités sont majoritairement agricoles. Ces divinités romaines des bois, que l'on compare aux satyres, sont les petits-fils de Saturne.

Fée : Les fées existent dans de nombreuses cultures, surtout européennes. Selon les pays, elles sont de tailles diverses. Les légendes nous disent que chaque fée appartient à une fleur. Elles ont un rôle de protection de la nature et le temps ne semble pas avoir d'effets sur elles.

Homme-rat : Issus de la grande famille des petits peuples qui comptent notamment les fées et les lutins, les hommes-rats seraient aussi appelés les mangequeues. On en retrouve une grande variété selon les pays et les cultures et toutes les légendes conseillent vivement de les éviter. Leur spécialité étant de jouer des mauvais tours, souvent macabres, il n'est donc pas conseillé de les fréquenter.

Korrigan : Environ de la taille d'un enfant de cinq ans, les korrigans ont une peau noire fort vilaine et très ridée, un nez informe aux larges narines, des oreilles d'elfe pointues, mais molles et une tête surdimensionnée que couvrent des cheveux crépus qu'ils parent de petits objets brillants et hétéroclites. Ils portent souvent un grand chapeau qui cache leurs yeux rouge vif et leurs pupilles de chat. Ces petits êtres adorent parler, chanter et crier. Leur voix aigre et discordante est difficile à supporter et ils s'amusent à parler en rimes. Ils mangent presque exclusivement des produits à base de lait de chèvre provenant de leurs troupeaux. D'autre part, ils acceptent volontiers de déguster de la graisse de lard et ne refusent jamais un peu de miel sur un bout de pain.

Ils peuplent les grottes et les tunnels des montagnes et partagent avec les lapins de grands terriers dans les plaines et les vallées. D'une grande propreté, ces petits êtres nettoient leur demeure tous les jours et portent avec fierté des vêtements bien lavés et défripés. D'une nature qui peut paraître inoffensive, voire bonasse, les korrigans sont de hardis voleurs d'enfants. Ils entrent la nuit dans les tentes des voyageurs et kidnappent les jeunes humains ou humanoïdes qu'ils revendent ensuite à des marchands d'esclaves. C'est ainsi qu'ils amassent une quantité colossale de miroirs, de pierres brillantes ou d'autres babioles sans valeur dont ils ornent fièrement leur coiffure. Les korrigans se retrouvent majoritairement en Bretagne, au nord-ouest de la France.

Lémure : Dans la mythologie romaine, les lémures sont des spectres maléfiques, dangereux et funestes qui reviennent dans les demeures de vivants afin de les terroriser. Pour se départir de ces spectres malsains, les Romains célébraient la fête dite « Lemuria » où on leur jetait des fèves noires et où l'on frappait pendant une nuit entière sur des vases d'airain afin de les effrayer. Pendant cette fête, qui se déroulait entre le 9 et le 14 mai, les temples étaient fermés et les mariages interdits.

NAGAS : Ce sont des hommanimaux capables de se métamorphoser en serpent. Ceux qui habitent spécifiquement le désert s'appellent des lamies alors que les nagas à proprement parler sont davantage liés aux milieux aquatiques. Ils peuvent atteindre une taille de 4,60 mètres de long sous leur forme reptilienne et vivent près de quatre cents ans. On les retrouve dans le Sahara, en Inde et en Asie du Sud.

Du même auteur

Marmotte, roman, Perro Éditeur, 2014 [2012,1998, 2001, 2008].

Fortia Nominat Louis Cyr, théâtre, Perro Éditeur, 2013 [2008,1997].

Créatures fantastiques du Québec, L'intégrale, contes et légendes, Perro Éditeur, 2013 [2009].

Créatures fantastiques, Le Diable au Québec, contes et légendes, Perro Éditeur, 2014.

Mon frère de la planète des fruits, Les Intouchables, 2008 [2001].

Pourquoi j'ai tué mon père, Les Intouchables, 2008 [2002].

En mer, roman, éditions de la Bagnole, 2007.

Horresco referens, théâtre, Édition des Glanures, 1995.

Contes Cornus, légendes fourchues, théâtre, Édition des Glanures, 1997.

Dans la série *Amos Daragon* :

Porteur de masques, La clé de Braha, Le crépuscule des dieux, roman, Perro Éditeur, 2012 [2003].

La malédiction de Freyja, La tour d'El-Bab, La colère d'Enki, roman, Perro Éditeur, 2012 [2003-2004].

Voyage aux enfers, La cité de Pégase, La toison d'or, roman, Perro Éditeur, 2013 [2004-2005].

La grande croisade, Le masque de l'éther, La fin des dieux, 2013 [2005-2006].

Le Sanctuaire des Braves I, roman, Perro Éditeur, 2011.

Le Sanctuaire des Braves II, roman, Perro Éditeur, 2012.

Le Sanctuaire des Braves III, roman, Perro Éditeur, 2012.

Amos Daragon 1, Porteur de Masques, roman poche, Perro Éditeur, 2015.

Dans la série *Wariwulf* :

Le premier des Râjâ, roman, Perro Éditeur, 2014 [2008].

Les enfants de Börte Tchinö, roman, Perro Éditeur, 2014 [2009].

Les hyrcanoï, roman, Perro Éditeur, 2014 [2010].

Lupus-1, roman, Perro Éditeur, 2014.

Dans la série *La grande illusion* :

La grande illusion, bande dessinée, Les Intouchables, 2009.

Dans la série *Walter* :

Walter tome I, roman, Les éditions La Presse, 2011.

Walter tome II, roman, Les éditions La Presse, 2012.

Dans la série *Victor VIe* :

Victor VIe, pigeon voyageur, roman, Perro Éditeur, 2014.

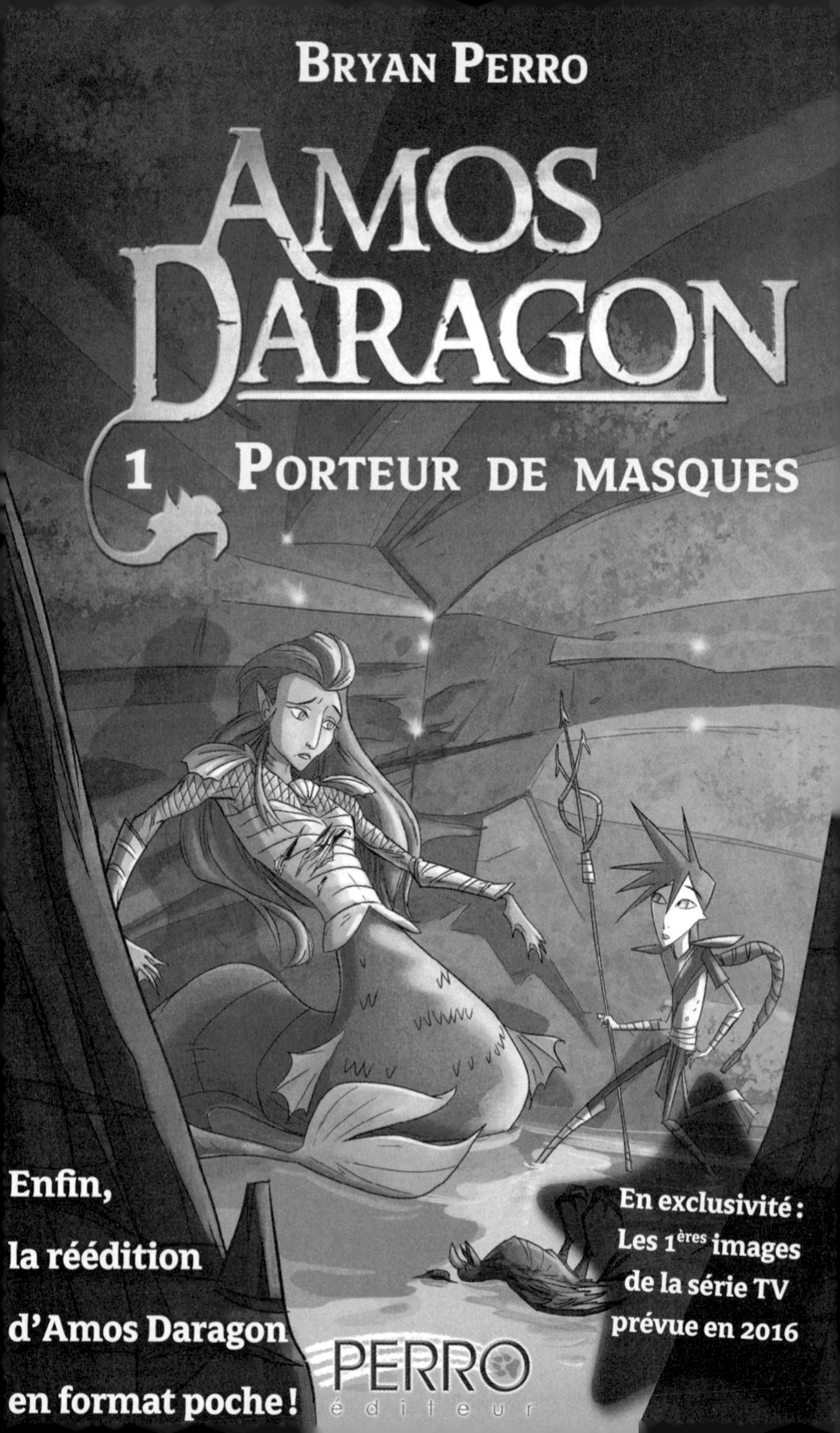
Bryan Perro
Amos Daragon
1 Porteur de masques
Enfin,
la réédition
d'Amos Daragon
en format poche !
En exclusivité :
Les 1ères images
de la série TV
prévue en 2016
PERRO
éditeur

Entre le passé et le futur,
la préhistoire et les extraterrestres,

Äourö

La série de romans jeunesse
qui va t'accrocher !

LES GUERRIERS FANT○MES

Croisement entre l'esprit d'aventure du *Dernier des Mohicans*
et le rythme frénétique d'*Indiana Jones*,
le tout avec un soupçon de mythologie fantastique à la *Hellboy*,
les guerriers fantômes dressent un portrait de la Nouvelle-France
comme vous ne l'aurez jamais lu.

Jacky Salaberry,

la nouvelle lecture **gaslamp fantasy**

chez Perro Éditeur !

Retrouvez votre héros fantastique préféré dans 4 trilogies chez **PERRO** éditeur